MOEWIG
HUMOR

Michail Sostschenko
Bleib Mensch Genosse

MOEWIG

Aus dem Russischen übertragen und mit einem Nachwort
von Grete Willinsky

Lizenzausgabe mit Genehmigung des Albert Langen · Georg Müller Verlags
Umschlagillustration: Heinz Bogner
Umschlagentwurf und -gestaltung: Franz Wöllzenmüller, München
Verkaufspreis inkl. gesetzl. Mehrwertsteuer
Auslieferung in Österreich:
Pressegroßvertrieb Salzburg, Niederalm 300, A-5081 Anif
Printed in Germany 1980
Druck und Bindung: Mohndruck Graphische Betriebe GmbH, Gütersloh
ISBN 3-8118-4802-X

Inhalt

Auf dem Parnaß

Wenn sich etwas Außergewöhnliches in der Welt ereignet hat – nun, sagen wir mal, der Nordpol wurde erreicht oder irgendein Höhenweltrekord im Flugzeug errungen oder gar der pausenlose Flug nach Amerika ohne jede Zwischenlandung durchgeführt – dann fühlst du dich einerseits froh und gehoben, andererseits aber klein und unbedeutend – ein Häufchen Erde nur, das den Wohlgeruch von der Nachbarin Rose empfing. Einerseits schlägt dein Herz schneller vor Freude über solche großartigen Siege und solche weltbedeutenden Errungenschaften. Andererseits wird es dir so wehmütig zumut, daß es so Großes und Bedeutendes nicht auch auf unserem, wie man so sagt, dem literarischen Parnasse gibt.

Ja, du leidest seelisch, weil du Parnaßjünger auch so etwas Einmaliges, Nutzbringendes und unserer Zeit Würdiges leisten möchtest, wie es zum Beispiel die Flieger nicht selten vollbringen.

Aber schließlich gibt es, bildlich gesprochen, auch auf unserem Parnaß Höhenrekorde. Vielleicht sind sie nicht ganz so grandios wie bei jenen. Vielleicht fehlt es uns auch nur an so genauen Meßapparaten, wie sie die Flieger haben. Und man kann daher nicht ohne weiteres erkennen, wer wohin geflogen ist und auf welcher Höhe er sich befindet.

Denn, sehen Sie, bei denen im Flugzeug wird alles gleich mühelos von Apparaten registriert: die und die Höhe, die und die Temperatur, so und so viel Ölverbrauch und so weiter. Der Flieger fliegt und sieht gleichzeitig, was mit ihm los ist.

Ach! Es ist zu ärgerlich, daß wir Parnaßjünger nicht auch solche Gerätschaften haben!

Der Kritiker freilich – der ist schon so etwas wie ein Meßgerät! Aber die seelenlose Maschine ist ein Ding, und der Mensch – mit seiner zarten Seele – ist ein anderes!

Nehmen wir doch an, einer von uns ist mit seinem Pegasus bis in den Himmel hinaufgeflogen. Ringsherum steht Dichternebel. Poetische Wölkchen schweben. Ein Wind geht. Kühl ist's ums Schnäuzchen. Plötzlich ruft da irgendein Zuschauer, durchs Fernrohr blickend: „Schaut doch nur, wohin der sich hinaufgeschraubt hat. Nicht einmal Balzac hat sich so hinaufgewagt!"

Und gleich gibt's natürlich Meinungsverschiedenheiten unter dem Publikum.

„Ja" – sagt der eine –, „der fliegt schon hoch, und sehen Sie nur, wie sein Propeller sich dreht!" Der andere sagt: „Ja, ja, fliegen tut er ja, aber ganz unkünstlerisch!"

Der Dritte meint: „Meiner Ansicht fliegt er überhaupt nicht, sondern hat sich oben einfach angebunden."

„Turgenjew konnte es viel besser!" sagt der Vierte. Und der Fünfte schreit: „Holt ihn doch runter, zum Teufel! Er verräuchert uns bloß den poetischen Himmel mit seiner Gegenwart!"

Wenn er solche Worte hört, dann macht unser Parnaßflieger noch eine Todesschleife über seinem heimatlichen Herd und saust abwärts ins Ungewisse. Und weiß nicht einmal, wie ihm geschieht. Nein, sage ich Ihnen, wir haben in dieser Hinsicht einen ganz miserablen Beruf!

Der Flieger zum Beispiel, der ein mutiges Herz hat, setzt sich in sein Flugzeug und fliegt sich eins wie ein Vogel. Und wenn die Maschine gut gebaut ist und der Flieger viel Ehrgeiz und eine heldische Seele hat, ist der Sieg ihm fast immer gewiß. Setzt sich aber bei uns ein beherzter Mann an den Schreibtisch – und der Schreibtisch ist beste Meisterarbeit, aus karelischer Birke, und das Betriebsmaterial ist verhältnismäßig in Ordnung: Wasser und Tinte sind vorhanden, und die Pläne sind die allerschönsten –, so weiß der Teufel, irgendwie kommt nichts dabei heraus! Der Mensch sitzt auf seinem Stuhl und quält sich. Und der Leser sagt später ehrlich erzürnt: „Das ist mir auch ein Parnaßritter! Dieser Jammerlappen kann sich nicht einen Zentimeter von seinem Stuhl erheben! Wo sind denn die Horizonte bei ihm? So ein Tintenkleckser! So ein Papierverschwender!"

Nein, unser Beruf ist längst nicht so interessant wie andere! Sein einziges Plus ist, daß alle, die nur Lust haben, sich darin versuchen können.

Bei den Fliegern, sagt man, wird streng gesiebt. Kurzsichtige, heißt es, werden nicht angenommen, und Leute, denen das Herz vor Schreck stillsteht, gelten auch als untauglich. Tuberkulöse und Zuckerkranke läßt man überhaupt nicht auf den Flugplatz. Bei uns aber wird ein jeder, der die Feder einigermaßen in der Hand zu halten versteht, gleich in das Dichterorchester aufgenommen und mit aller schuldigen Ehrfurcht an den Schreibtisch gesetzt. So schreibt er dann frisch darauf los. Wie er's halt kann. Schlecht und recht. Und manchmal kann er's, rundheraus gesagt, überhaupt nicht. Und blamiert sozusagen die ganze Fachschaft!

Und darum eben, meine ich, – haben sich bei uns manche guten Leutchen, wenn sie vom Parnaß herabfielen, den Hals gebrochen.

Aber vielleicht gibt's noch andere Gründe dafür! Vielleicht sprechen einmal die Kritiker – diese unsere zerbrechlichen Registrierapparate – ein gewichtiges Wort, warum bei uns auf dem Parnaß Finsternis herrscht!

Der Parasit

Lebt da in der weiten Welt ein gewisser Wassja Kutschkin. Ein Schriftsteller. Ein ganz tüchtiges Bürschchen – nichts dagegen zu sagen! Sein Talent sprüht nur so nach allen Seiten. Sogar Romane kann er schreiben.

Aus Jux nämlich hat dieser geschickte Wassja Kutschkin seinen ersten Roman verfaßt. Er bekam natürlich auch Geld dafür. Und begann ein herrliches Leben.

Er kaufte sich einen Mantel mit Pelzkragen und ein Bett. Auf dem Bett liegt er herum, und mit dem Mäntelchen deckt er sich zu. Und lebt schier wie ein Millionär!

„Unser Kutschkin" – denkt Wassjas Hausverwalter – „schaufelt das Geld nur so aus der Erde. Schreibt Romane, dieser Schweinehund! Kauft sich jeden Tag Mäntel mit Pelzkragen! Man wird diesem Parasiten ein wenig die Miete aufschlagen müssen! Was soll man sich da viel genieren!"

Und so geschah es.

„Diese Teufel erhöhen die Miete!" – verwundert sich Wassja Kutschkin. „Man wird sich strecken müssen. Es geht nun nicht anders!"

Unser Täubchen Wassja begann also noch fleißiger zu arbeiten. Er strengte sich sehr an und haute gleich zwei Romane auf einmal hin. Verkaufte alle beide. Und begann ein herrliches Leben. Lebt wie ein Millionär! Liegt auf dem Bett herum und deckt sich mit dem Mäntelchen zu.

„Ei!" – überlegt Wassjas Finanzinspektor. „Der Kutschkin, dieser Parasit, veröffentlicht gleich zwei Romane auf einmal! Man wird den Kerl mehr belasten müssen!"

Nun, er tat's auch. Und sandte Wassja eine liebenswürdige kleine Benachrichtigung. Sozusagen: Sie haben, mein Lieber, so und so viel an die Finanzkasse zu entrichten . . .

„Schrecklich!" dachte Wassja und sah kummervoll die freundliche Benachrichtigung an. „Wo nur das Geld dafür hernehmen? Man wird sich noch mehr strecken müssen! Es scheint, ich arbeite zu wenig. Es reicht und reicht nicht. Ob man den Schlaf kürzen soll, hol's der Teufel?"

Er verfaßte gleich drei Romane auf einmal und noch ein Bühnenstück dazu. Schnaubte und keuchte und gab sich schrecklich Mühe. Und verkaufte alle vier.

„Nein, wie nur diese Leute üppig leben!" – dachte Wassjas Hausverwalter. „Schreiben gleich drei Romane auf einmal! Aber die Reparaturen soll der Staat zahlen! Nein, jetzt kann dieser Teufelskutschkin auf eigene Kosten reparieren! Mir langt's!"

„In der Tat!" – überlegte der Finanzinspektor, Wassjas Bilanz betrachtend. „Die Leute werden reich! Werden noch dick und fett! Man wird sie ein bißchen enger wickeln müssen!"

„Herrgottchen!" dachte Wassja und griff sich an den Kopf. „Was macht man nur mit mir! Man wird sich rein noch mehr strecken müssen!"

Und er tat's. Verfaßte vier Romane und eine Tragödie. Und verkaufte alle fünf.

„Nein dieser Kutschkin!" – sagten die Verwandten. „Wer hätte das gedacht? So ein Dummkopf und sitzt jetzt auf dem hohen Roß, der Schweinehund! Schreibt sogar Tragödien! Und schaufelt nur so die Tausender – sagt man. Man wird ihm einen Wink geben müssen, die Verwandtschaft nicht ganz zu vergessen!"

„Ach!" – dachte Wassja Kutschkin. „Jetzt reicht's wirklich nicht. Man wird noch mehr schreiben müssen! Nur schade – die Maschine will nicht mehr recht . . ."

Immerhin, er schrieb . . .

„Oho!" – sagte der Finanzinspektor und betrachtete ehrfurchtsvoll Wassjas Summen. „Der schaufelt ja rein das Geld! Man wird . . ."

Brüderchen, Milchbrüderchen, liebe Genossen! Ich gestehe es ein. Solch einen Kutschkin gibt es auf der weiten, weiten Welt gar nicht. Ich habe nur von meinen eigenen Erfahrungen berichtet. Und es ist, wie ihr seht, so etwas wie eine Autobiographie geworden. Freilich gibt es in dieser Beichte – wie das bei anderen Schriftstellern üblich ist – weder erhabene Erlebnisse noch revolutionäre Begeisterungen – es herrscht allein, kann man sagen – der niedrigste Materialismus! Was soll man da machen?! Wir mit unserer lumpigen Natur können uns, scheint's, nicht über die Prosa des Lebens erheben!

Die Aristokratin

Brüderchen, ich kann Weiber mit Hüten nicht ausstehen! Hat so ein Weibsbild einen Hut auf und seidene Florstrümpfchen an den Beinen oder womöglich einen Mops im Arm und einen Goldzahn im Munde – dann ist solch eine Aristokratin überhaupt keine Frau, sondern einfach Luft für mich!

Seinerzeit habe ich mich natürlich von so einer Aristokratin bezaubern lassen. Ich ging mit ihr spazieren und führte sie ins Theater. In demselben Theater aber war auch alles aus.

Im Theater hat sie ihre ganze Weltanschauung enhüllt.

Zum erstenmal begegnet bin ich ihr auf dem Hof unseres Hauses. Auf einer Mieterversammlung. Ich schaue – steht da so eine beachtenswerte Person. Mit Seidenstrümpfen und Goldzahn im Mund.

„Woher" – sage ich –, „Genossin? Aus welcher Wohnung?"

„Ich" – sagt sie – „wohne in Nr. 7."

„Bitte schön" – sage ich – „wohnen Sie nur weiter dort!" Und mit einemmal hat sie mir ganz schrecklich gefallen. Ich begann zu ihr zu gehen. In Nr. 7. Zuerst ging ich zu ihr in dienstlicher Eigenschaft. Sozusagen: „Wie steht's, Genossin, mit der Wasserleitung und dem Klosett? Funktionieren sie?"

„Ja!" – antwortete sie. „Es funktioniert alles!" Und weiter nicht buh und nicht bäh! Schaut bloß ängstlich mit großen Augen. Und hüllt sich enger in ihr Flauschtuch. Und der Goldzahn im Munde glänzt.

Einen ganzen Monat lang ging ich so zu ihr – da wurde sie allmählich zutraulicher. Und gab schon ausführlichere Antworten.

Sozusagen: „Ja, die Wasserleitung funktioniert! Danke für die Nachfrage, Grigorij Iwanowitsch!"

Später begannen wir zusammen spazierenzugehen. Kommen wir

so auf die Straße raus, will sie am Arm geführt werden. Ich fasse sie auch unter und schleppe mich mit ihr ab – rein wie ein Pferd! Zu reden weiß ich natürlich nichts und geniere mich bloß vor den Leuten.

Nun, einmal sagt sie denn auch zu mir: „Was führen Sie mich" – sagt sie – „immer nur auf den Straßen herum? Mir ist schon ganz schwindlig davon! Sie als Kavalier" – sagt sie – „und als Staatsbeamter sollten mich lieber mal zum Beispiel ins Theater führen!"

„Das kann man machen!" – sagte ich.

Und gerade am nächsten Tag schickt mir die Parteizelle eine Karte für die Oper. Eine Karte also hatte ich, und die andere spendierte mir Wassjka, der Tischler.

Ich sah mir die Karten gar nicht an, und später stellte es sich heraus: mein Platz war unten im Parterre, Wassjkas aber auf der höchsten Galerie . . . Wir gingen hin. Setzten uns in den Zuschauerraum. Sie auf meinen Platz und ich auf Wassjkas natürlich. Ich sitze also auf dem höchsten Olymp und sehe überhaupt nichts. Und verrenke mir den Hals, obgleich das Stück nichts taugt.

Ich langweilte und langweilte mich so eine ganze Weile und ging schließlich runter.

Es war gerade Pause. Und sie lustwandelt schon im Foyer.

„Guten Tag!" – sage ich.

„Guten Tag!"

„Es interessiert mich" – sage ich , „ob hier wohl die Wasserleitung funktioniert?"

„Das weiß ich nicht!" – sagt sie. Und nimmt die Richtung zum Erfrischungsraum. Ich hinter ihr drein. Sie ergeht sich nun im Erfrischungsraum und schielt aufs Büfett. Dort aber steht eine Schüssel. Und auf der Schüssel – Kuchen.

Ich stolziere wie so'n Hahn um sie herum, und der Affe laust mich, gegen alle Grundsätze den Bourgeois und Kavalier zu spielen.

„Wenn Sie Lust haben" – sage ich –, „einen Kuchen zu essen, dann genieren Sie sich nicht. Ich bezahle ihn."

„Merci!" – sagt sie.

Und tritt gleich mit zierlichen verführerischen Schritten zur Schüssel, und – schnapp! greift sie sich einen mit Creme und futtert los.

Geld aber habe ich – die Katze müßte weinen! – allerhöchstens für drei Kuchen. Sie futtert und futtert, ich aber krame voller Unruhe in der Tasche herum, taste mit der Hand und zähle, wieviel Geld ich habe. Und das Geld, hol's der Teufel, gibt wenig Klang!

Sie hat inzwischen den Kuchen mit Creme aufgegessen, und – schnapp! holt sie sich einen zweiten. Ich ächze sogar vor Schreck. Schweige aber. Die blöde bürgerliche Scham nämlich hatte mich ergriffen. Spielst den Kavalier – denk ich – und hast kein Geld!

Wie ein verliebter Gockel dreh ich mich um sie rum, – sie aber gurrt wie eine Lachtaube und ist nach Komplimenten begierig.

Ich sage: „Ist's nicht schon Zeit, wieder in den Zuschauerraum zu gehen? Ich glaube, es hat schon geklingelt!" Sie aber sagt: „Nein, nein!"

Und nimmt den dritten.

Ich sage: „Ist das nicht ein bißchen viel – so auf nüchternen Magen? Es wird Ihnen vielleicht übel werden?"

Sie aber: „Nein!" – sagte sie. „Mir macht's nichts aus!"

Und greift nach dem vierten.

Da schoß mir das Blut in den Kopf.

„Leg ihn" – schrei ich – „sofort zurück!"

Sie erschrak sehr. Ließ sogar vor Schreck den Mund offen. Und man sah den Goldzahn nur so glänzen.

Mich aber ritt schier der Satan. Ganz egal! – denk ich – aus ist's sowieso mit dem Spazierengehen!

„Leg ihn zurück!" – schreie ich. „Teufel noch mal!" Sie legte den Kuchen tatsächlich zurück. Und ich sage zum Wirt: „Wieviel bekommen Sie für drei verzehrte Kuchen?"

Der Wirt aber zeigt eine gleichmütige Visage und spielt den Wichtigtuer.

„Von Ihnen bekomme ich" – sagt er – „für vier Stück Kuchen – – so und so viel!"

„Wieso denn" – sage ich – „vier? Wo doch das vierte auf der Schüssel liegt!"

„Nein“ – antwortet er. „Wenn der Kuchen auch auf dem Teller liegt – so ist er doch schon angebissen und mit den Händen berührt!“

„Wie!“ – sage ich. „Wo ist er denn angebissen, erbarmen Sie sich! Das ist bloß Ihre seltsame Phantasie!“

Der Wirt aber spielt weiter den Gleichgültigen und hält mir die Faust vor die Nase.

Inzwischen ist natürlich das Publikum zusammengelaufen. Und gibt die Sachverständigen ab. Die einen sagen: Der Kuchen ist angebissen, die anderen natürlich: – Nein, er ist nicht angebissen!

Ich kehre währenddessen meine Taschen um – allerhand Dreck fällt mir heraus –, und das Volk will sich ausschütten vor Lachen. Mir aber ist gar nicht komisch zumut. Ich zähle das Geld.

Endlich habe ich es zusammengezählt – es reicht haargenau für vier Kuchen. Ach, Väterchen, Mütterchen! Ganz umsonst habe ich Streit angefangen!

Ich bezahle und wende mich wieder an meine Dame: „Essen Sie“ – sag' ich – „den Kuchen zu Ende, Genossin! Er ist bezahlt.“

Die Dame aber rührt sich nicht. Und geniert sich, den Kuchen zu Ende zu essen.

Da aber mischt sich irgend so ein Onkelchen ein.

„Gib her!“ – sagt er – „ich esse ihn auf!“

Und er fraß tatsächlich den Kuchen, dies freche Schwein! Für mein teures Geld!

Wir setzten uns wieder in den Zuschauerraum. Sahen die Oper zu Ende. Und gingen nach Hause.

Vor unserem Hause aber sagt sie zu mir: „Das war schon eine große Gemeinheit von Ihnen! Wer kein Geld hat“ – sagt sie – „geht nicht mit Damen aus! Merken Sie sich's!“

Ich aber sage: „Nicht im Gelde liegt das Glück, Genossin! Entschuldigen Sie schon!“

So sind wir denn auch auseinandergegangen.

Ach, ich kann diese Aristokratinnen nicht ausstehen!

Eine psychologische Geschichte

Es ereignete sich dieser Tage eine sehr interessante psychologische Geschichte. Einer unserer Bekannten, der Tischler Wassilij Antonowitsch K. (wir wollen seinen Familiennamen nicht nennen), hatte beschlossen, sich von seiner Frau scheiden zu lassen. Er hat mit ihr an die drei oder vier Jahre zusammen verlebt und beschloß, daß das genug sei. Denn seht, er begann sich in ihrer Gesellschaft zu langweilen.

Er geht nach der Arbeit mit Fedja T. in eine Bierstube, trinkt dort ein paar Flaschen und berät sich mit dem Freund, wie er's machen soll: Soll er es gleich der Gattin eröffnen, sozusagen: ich lasse mich scheiden! oder soll er sie erst schonend vorbereiten – daß der Schlag sie nicht treffe. Oder vielleicht einfach zum Standesamt hingehen und denen dort die Benachrichtigung überlassen, um so den verschiedenen spießbürgerlichen Szenen aus dem Wege zu gehen – den Damentränen im einzelnen und besonderen und ähnlichem mehr.

Der Freund sagt: „Das beste ist schon, gleich nach Hause zu gehen und alles geradheraus zu sagen, was auch geschehen möge. Was nützt es, die Sache auf die lange Bank zu schieben! Das nimmt einem nur unnötig die Ruhe! Geh also heim und melde es ihr! Nur" – sagt er – „die Sache ist natürlich nicht ganz leicht! Manche Gattinnen werden in solch einem Augenblick ganz rabiat und entschließen sich zu weiß der Teufel was allem. Andere wieder fallen in Ohnmacht. Und die dritten, das sind die ganz Gefährlichen, begießen einen mit Salzsäure. So daß ich" – sagt er – „dich nicht besonders beneide! Aber gehen mußt du. Und ich geh' mit dir. Ich werde unten an der Tür warten. Im Fall, daß meine Hilfe notwendig sein sollte, rufst du mich!"

Und so gehen alle beide in die Wohnung des Tischlers.

Sie kommen bis zu seinem Haus und gehen die Treppe hinauf.

Sie steigen also die Treppe hinauf und begegnen plötzlich eben jener unglücklichen Tischlersgattin Anna Nikolajewna, kurz, der Anja.

Die beiden steigen die Treppe hinauf, die Dame aber läuft sie hinab. Sie läuft hurtig auf ihren gelben Pantöffelchen abwärts. Aufgeputzt, frisiert, rotbackig und hübsch!

Der Tischler natürlich bleibt stehen und schaut sie verwundert an. Sie errötet leicht und will schnell weitergehen.

Der Tischler fragt: „Du? – Wohin willst denn du?"

„Ich" – sagt sie – „halt irgendwohin! Das sind meine Angelegenheiten!"

„Was für Angelegenheiten? Was hast du für Angelegenheiten?"

„Und ich" – sagt sie – „habe gar nicht die Absicht, dir Rede zu stehen!"

Hierauf hebt eine etwas geräuschvolle Unterhaltung an. Und sie sagt zu ihm: „Also" – sagt sie – „was ich dir, Wassilij Antonowitsch, schon längst sagen wollte: Du langweilst mich mit deinem Charakter, und ich will mich von dir scheiden lassen!"

Der Tischler war starr.

„Scheiden lassen? Aber wieso?"

„Ach nur so!" – sagt sie. „Du langweilst dich in meiner Gesellschaft, und ich" – sagt sie – „habe auch keinen großen Spaß an dir. Ich habe mich lange gescheut, davon zu sprechen, aber jetzt bin ich froh, daß es heraus ist. Ich lasse mich von dir scheiden!"

Der Tischler faßt nach ihrer Hand und schreit: „Ach so! Du willst mich los sein? Du hast sicher Liebhaber! Anja" – sagt er – „Anjitschka! Du hast mich ganz behext!"

Sein Freund, Fedja T., blinzelt ihm zu: „Du Idiot!" – soll das heißen – „Du wolltest dich doch selbst von ihr scheiden lassen! Und drehst jetzt den Hebel zurück!"

Aber der Tischler schreit nur: „Anjitschka, überleg es dir noch ein wenig . . . Laß dich nicht scheiden!" Er umarmt sie und nimmt ihr den Hut ab und faßt immer wieder ihre Händchen.

Fedja T. steht wie ein begossener Pudel da und traut seinen Augen nicht.

Hernach freilich gab er es auf, winkte resigniert mit der Hand ab und ging seiner Wege. So daß uns nicht bekannt ist, wie diese Aussprache auf dem Treppenabsatz endete. Bekannt ist nur, daß der Tischler sich nicht scheiden ließ und offenbar auch nicht die Absicht hat, es zu tun. Im Gegenteil: nach der Arbeit rennt er, ohne die Bierstube aufzusuchen, geradewegs nach Hause.

Wie soll man diesen Fall nun verstehen? Wo liegt hier der Haken? Sind da Gefühle niederer Art mit im Spiel? Ist das nicht Spießbürgerlichkeit? Ist das vielleicht reaktionäres Beharren auf dem Eigentumsrecht?

Der Autor, von seiner Schreibarbeit ermüdet, kann sich in diesen psychologischen Weitläufigkeiten nicht mehr zurechtfinden. Möge das der Leser nur selbst tun! Man kann schließlich nicht alles vorgekaut in den Mund bekommen! Los! Denkt mal selbst ein bißchen nach!

Der Verwandte

Zwei Tage lang suchte Timofei Wassiljewitsch seinen Neffen Serjoga Wlassow. Am dritten Tag, kurz vor der Heimfahrt, fand er ihn endlich durch Zufall. Er traf ihn in der Trambahn.

Timofei Wassiljewitsch stieg in die Trambahn, nahm einen Groschen heraus und wollte ihn schon dem Schaffner geben und sieht plötzlich, ja, was ist denn das? Das Gesicht des Schaffners kommt ihm doch so bekannt vor. Timofei Wassiljewitsch schaute noch einmal genau hin. Ja, tatsächlich! – der Trambahnschaffner ist Serjoga Wlassow in eigener Person!

„Na!“ – schrie Timofei Wassiljewitsch. „Serjoga! Bist du’s denn, alter Freund?“

Der Schaffner wurde verlegen, rückte die Rolle mit den Fahrkarten zurecht und sagte: „Gleich, Onkel . . . lassen Sie mich erst die Fahrkarten verteilen . . .“

„Schon recht! Freilich!" – sagte der Onkel freudig.

Timofei Wassiljewitsch lachte und wandte sich mitteilungsbedürftig an die Fahrgäste: „Das ist nämlich ein naher Verwandter von mir. Serjoga Wlassow mit Namen. Vom Bruder Peter der Sohn . . . Ich habe ihn sieben Jahre nicht gesehen, den Hundesohn!"

Timofei Wassiljewitsch schaute liebevoll seinen Neffen an: „Serjoga, alter Freund, seit zwei Tagen suche ich dich schon! Laufe die ganze Stadt ab! Hier also bist du! Als Schaffner . . . Ich war nämlich in deiner alten Wohnung. Auf der Rasnotschinnaja. ‚Nein' – antwortet man mir – ‚der ist ausgezogen.' ‚Wohin' – frag' ich – ‚ist er denn gezogen, können Sie's mir vielleicht sagen? Ich bin sein nächster Verwandter.' Die aber antworten: ‚Wir wissen es nicht!' Und da finde ich dich hier. Bist wohl Schaffner, wie?"

„Ja!" – sagte leise der Neffe.

Die Fahrgäste blickten neugierig auf den Verwandten. Der Onkel lachte glückstrahlend seinen Neffen an, jener aber fühlte sich sichtlich verlegen und wußte nicht, was er, da er sich doch im Dienst befand, dem Onkel sagen und wie er sich überhaupt verhalten sollte.

„So, so, als Schaffner!" – sagte der Onkel noch einmal. „In der Trambahn, wie?"

„Ja, ja . . ."

„Nu sag mal, welch ein Zufall! Und ich, weißt du, Serjoga, steige in die Trambahn und schaue: – ja, was ist denn das? Das Gesicht des Schaffners kommt mir über die Maßen bekannt vor. Und da bist du's selbst! Nein, so was! Nun bin ich aber froh! Nun bin ich ganz zufrieden!"

Der Schaffner trampelte einige Zeit unschlüssig auf ein und demselben Fleck herum und sagte dann plötzlich: „Sie müssen eine Fahrkarte lösen, Onkel . . . Wie weit fahren Sie?"

Der Onkel lachte fröhlich und klopfte scherzend auf den Geldbeutel des Schaffners.

„Hätte ich, hätte ich, mein Freundchen. Bei Gott! Hätte ich mich in eine andere Linie gesetzt oder, sagen wir mal, nur den Wagen verpaßt – hätte ich anstandslos bezahlt und Schluß! Hätten da meine Kopeken geweint! Herrjemine! ... Und fahren tu ich, Serjoga, alter Freund, bis zum Bahnhof ..."

„Zwei Haltestellen!" sagte der Schaffner niedergeschlagen und sah auf die Seite.

„Nein, was denn, wirklich?" verwunderte sich Timofei Wassiljewitsch. „Du willst doch nicht im Ernst ..."

„Sie müssen zahlen, Onkel ..." – sagte leise der Schaffner. „Zwei Stationen ... Weil man doch umsonst und ohne Fahrkarte nicht fahren darf ..."

Timofei Wassiljewitsch kniff beleidigt die Lippen ein und blickte finster auf den Neffen.

„Was denn ... Du willst wirklich Geld – vom leiblichen Onkel? ... Den leiblichen Onkel willst du ausplündern?"

Der Schaffner blickte melancholisch durchs Fenster.

„So ein Räuber!" – sagte der Onkel zornig. „Sieben Jahre habe ich dich, Hundesohn, nicht gesehn ... Was aber machst du beim Wiedersehen? Forderst Geld für die kurze Fahrt ... Vom leiblichen Onkel? Du, fuchtel mir nicht mit deinen Händen vor der Nase herum. Wenn ich auch dein leiblicher Verwandter bin – so fürchte ich drum deine Hände doch nicht ... Fuchtel nicht, sage ich, mach keinen Zugwind hier vor den Passagieren!"

Timofei Wassiljewitsch drehte seinen Groschen noch einmal um und steckte ihn wieder in die Tasche.

„Habt ihr, Brüderchen, so was schon erlebt?" – wandte er sich ans Publikum. „Fordert Geld vom leiblichen Onkel ... Zwei Haltestellen! – sagt er ... He?"

„Sie müssen, bitte, zahlen!" sagte der Neffe mit Tränen in der Stimme. „Seien Sie nicht böse, Genosse Onkel ... Weil dies hier doch nicht meine Trambahn ist. Sondern die staatliche Trambahn ... Es ist Volkseigentum ..."

„Volkseigentum?" – sagte der Onkel. „Was geht das mich an! Hättest du, Hundesohn, nicht den leiblichen Onkel umsonst aufnehmen können. ‚Stecken Sie Ihren sauer verdienten Groschen nur wieder ein, Onkel!' – hättest du sagen müssen. ‚Und fahren Sie mit Gott!' – Wird schon davon nicht auseinanderplatzen, deine Volkstrambahn! Ich fuhr neulich mit der Eisenbahn. Da war der

Schaffner nicht mit mir verwandt. Aber sogar der sagte: ‚Bitte schön!' – sagte er – ‚Timofei Wassiljewitsch, lassen Sie's doch sein ... Setzen Sie sich nur so rein ...' – Und hat mich ganz umsonst heimgefahren ... War kein Verwandter ... Nur ein Landsmann, ein Bekannter ... Du aber willst vom leiblichen Onkel ... Nein, du bekommst aber kein Geld!"

Der Schaffner wischte sich mit dem Ärmel den Schweiß von der Stirne und zog plötzlich die Leine.

„Steigen Sie aus, Genosse Onkel!" – sagte der Neffe im dienstlichen Ton.

Als Timofei Wassiljewitsch sah, daß die Sache ernst wurde, schlug er entsetzt die Hände zusammen, holte noch einmal seinen Groschen heraus, steckte ihn aber gleich wieder ein.

„Nein!" – sagte er. „Das tue ich nicht! Dir Rotznase zahle ich nichts! Lieber steige ich aus!"

Empört und triumphierend zugleich erhob sich Timofei Wassiljewitsch von seinem Sitz und ging zum Ausgang. Dort wandte er sich noch einmal um.

„Deinen Onkel, deinen leiblichen Onkel jagst du hinaus!" – sagte er voll Ingrimm. „Aber ich werde dich Rotzbengel dafür ... Ich werde dich Hundesohn ... Glatt erschießen lassen kann ich dich dafür ... Meine Beziehungen reichen bis zum Smolny, mein Lieber ..."

Timofei Wassiljewitsch schaute noch einmal mit einem vernichtenden Blick auf den Neffen und stieg aus.

Familienglück im Badezimmer

Jüngst fuhr auf der Straße ein Fuder Ziegel an mir vorbei, Genossen! Bei Gott! Mir, wissen Sie, fing das Herz im Leibe an zu hüpfen vor Freude. Denn es wird jetzt gebaut, Genossen! Ziegel führt man schließlich nicht umsonst herum!

In zwanzig Jahren vielleicht, oder vielleicht auch früher, wird jeder Genosse sicher ein ganzes Zimmer für sich allein haben. Und wenn die Bevölkerung sich nicht allzu heftig vermehrt, vielleicht auch zwei. Oder vielleicht gar drei pro Kopf! Mit einem Badezimmer!

Das wird dann erst ein Leben sein, Genossen! In einem Zimmer, sagen wir mal, wird man schlafen, im anderen Gäste empfangen . . . und das dritte, weiß der liebe Himmel, wozu man das verwendet . . . Ha! Das wird sich schon finden! Bei solch einem herrlichen Leben!

Nun, aber einstweilen haben wir noch ziemliche Schwierigkeiten mit den Quadratmetern! Man geizt noch zu sehr damit. Im Hinblick auf die Wohnungsnot!

Ich, Brüderchen, habe zum Beispiel bis vor kurzem in Moskau gewohnt. Habe da am eigenen Leibe die Wohnungskrise erfahren. Ich kam, wissen Sie, nach Moskau. Ging mit meinen Siebensachen durch die Straßen. Suchte ein Zimmer. Aber nicht einmal ein Mauseloch war frei! Zwei Wochen ging ich so durch die Straßen; ein Bärtchen war mir inzwischen gewachsen, und die Sachen hatte ich nach und nach verloren! Ging also weiter ohne Gepäck und suchte eine Unterkunft.

In einem Hause endlich hatte ich Glück.

„Für dreißig Rubelchen", sagt mir der Hausverwalter, „können wir Sie im Badezimmer unterbringen! Die Wohnung", sagt er, „ist eine hochherrschaftliche. Drei Toiletten! Ein Badezimmer! Und da also können Sie wohnen. Fenster", sagt er, „hat es zwar keine, aber dafür ist eine Tür vorhanden. Und Wasser ist immer zur Hand! Haben Sie Lust", sagt er, „lassen Sie die Wanne vollaufen und tauchen Sie drin nach Herzenslust, meinetwegen den ganzen Tag!"

„Teurer Genosse", antwortete ich. „Ich bin kein Fisch! Ich", sage ich, „bedarf des Tauchens nicht so sehr! Mir", sage ich, „ist das Trockene lieber!"

Aber was blieb mir übrig! Ich zog ein.

Und das Badezimmer war tatsächlich hochherrschaftlich. Überall Marmor, Kacheln und blitzende Wasserhähne! Eine Sitzgelegenheit war allerdings nicht vorhanden. Vielleicht noch der Wannenrand, aber auch der war ein bißchen zu rutschig. Man landete jedesmal in der Marmorwanne. Drum ließ ich mir für dreißig Rubel darüber einen Beschlag aus Brettern machen. Und lebte so einigermaßen.

Nach einem Monat übrigens heiratete ich. Und geriet, wissen Sie, an so eine junge, sanfte Ehegattin ohne Zimmer. Ich fürchtete zuerst, daß sie mir wegen des Badezimmers einen Korb geben würde. Aber nein! Nichts dergleichen! Sie zog nur etwas die Brauen hoch und meinte: „Nun, auch im Badezimmer kann man leben! Und im Notfalle", sagte sie, „kann man da eine Scheidewand aus Brettern machen! Hier zum Beispiel das Boudoir, und hier das Eßzimmer!"

„Können könnte man schon", antwortete ich, „Genossin! Aber die Vermieter, diese Teufel, werden das sicher nicht zulassen! Sie sagen schon so immer: nur keine Veränderungen, bitte!"

Auch recht. Wir lebten also wie zuvor.

In weniger als einem Jahr wurde uns ein Kind geboren. Wir nannten den Jungen Wolodjka und lebten friedlich weiter. Badeten ihn ebenda im Badezimmer und sahen ihn aufwachsen.

Und er wuchs sogar ganz anständig im Badezimmer. Badete Tag für Tag und erkältete sich nicht einmal.

Nur das eine störte unser Glück: Abends kamen die Mietgenossen ins Badezimmer gekrochen, um zu baden. Für diese Zeit hatte sich die ganze Familie auf den Korridor zu begeben. Ich bat immer wieder die Mieter: „Genossen, badet sonnabends! Es geht doch nicht", sagte ich, „daß man täglich badet! Wann sollen wir denn, bitte schön, wohnen? Versetzt euch, bitte, in unsere Lage!"

Aber es waren ihrer, dieser Schufte, zweiunddreißig Mann. Und alles so stämmige Kerle, die bei jeder Gelegenheit drohten, einem die Visage einzuhauen. Nun, was war da zu machen! Wir lebten also weiter wie zuvor!

Nach einiger Zeit kam die Mama meiner Ehegattin aus der Provinz zu Besuch. Richtete sich gleich hinter der Säule häuslich ein.

„Ich", sagt sie, „träume schon lange davon, mein Enkelkindchen in den Schlaf zu wiegen! Sie dürfen mir", sagt sie, „diese Freude nicht abschlagen!"

„Ich schlage Ihnen ja gar nichts ab!" antwortete ich. „Legen Sie nur los, Großmütterchen, mit dem Wiegen! Hol's der Teufel! Sie können auch", sage ich, „sich die Wanne vollaufen lassen und mit dem Enkel drin tauchen, nach Herzenslust!"

Und zu meiner Frau sagte ich:

„Vielleicht kommen zu Ihnen, Genossin, noch andere Verwandte zu Besuch? Sagen Sie es schon lieber gleich auf einmal! Spannen Sie mich nicht auf die Folter!"

Sie antwortete: „Vielleicht, daß mein Brüderchen für die Weihnachtsferien . . ."

Ohne das Brüderchen abzuwarten, reiste ich ab. Geld schicke ich meiner Familie durch die Post.

Die kleine Sommererholung

Eine eigene kleine Wohnung zu besitzen ist bei uns nicht zeitgemäß! Man wohnt einträchtig in der Kommunalwohnung. Da ist man immer unter Leuten. Man kann sich aussprechen. Rat holen. Und sich mal ausraufen!

Gewiß, es hat auch seine Nachteile. Zum Beispiel macht das elektrische Licht einige Schwierigkeiten. Man weiß nicht, wie man miteinander abrechnen soll.

Freilich, später einmal, wenn unsere Industrie erst ihre ganze Meisterschaft zeigen wird – – – dann wird man jedem Mieter in jede Ecke meinetwegen auch zwei Zähler hinstellen können. Dann können die Zähler den verbrauchten Strom bestimmen. Und dann erst wird natürlich das Leben in unseren Wohnungen zum strahlenden Sonnenschein werden. Einstweilen aber haben wir nur ununterbrochen Schwierigkeiten!

Zum Beispiel sind bei uns neun Familien. Aber nur eine Lichtleitung! Ein Zähler! Am Monatsende muß man zur Abrechnung antreten. Und dabei entstehen dann natürlich große Mißverständnisse – und manchmal auch Mord und Totschlag!

Ihr werdet sagen: „Berechnet nach den Lämpchen!" Nun gut, nach den Lämpchen. Ein einsichtiger Mieter zündet sein Lämpchen vielleicht für fünf Minuten an. Um sich auszuziehen oder einen Floh zu fangen. Ein zweiter Mieter aber ißt da irgend etwas bis zwölf Uhr nachts bei Beleuchtung. Und will das Licht nicht löschen. Obgleich er keine Muster zu zeichnen hat. Als dritter findet sich da zweifelsohne so ein Intelligenzler, der buchstäblich bis ein Uhr nachts oder auch länger ins Büchlein schaut und keine Rücksicht auf die Allgemeinheit nimmt. Ja, vielleicht vertauscht er sogar das Lämpchen gegen ein helleres. Und liest Algebra wie am lichten Tage! Oder vielleicht kocht, verkrochen in seiner Bärenhöhle, eben dieser Intelligenzler auf dem elektrischen Kocher Teewasser oder Nudeln. Das muß man doch verstehen!

Einen Mieter hatten wir bei uns, einen Lastträger – der hat aus diesem Grunde den Verstand verloren. Er hörte auf zu schlafen und suchte nur noch, herauszubekommen, wer von den Mietern in der Nacht Algebra liest und wer auf dem Kocher Landesprodukte warm macht. Nachdem er den Verstand verloren hatte, bekam ein Verwandter von ihm das Zimmer. Und da begannen erst die Lichtorgien!

Jeden Monat belief sich unsere Lichtrechnung laut Zähler auf – nun sagen wir mal – nicht mehr als zwölf ganze Rubel. Nun, im schlimmsten Falle auf dreizehn. Und das natürlich bei der Kontrolle des Mieters, der den Verstand verlor. Die Kontrolle hatte er gut durchgeführt. Er schlief buchstäblich keine Nacht und machte alle fünf Minuten eine Revision. Ging mal hier, mal da hinein. Und drohte immer, den mit dem Beil totzuschlagen, bei dem er einen Überverbrauch feststellen würde. Es ist nur zum Verwundern, daß die anderen Mieter bei einem solchen Leben nicht auch noch den Verstand verloren!

Also hatten wir im Monat nicht mehr als zwölf Rubel zu zahlen. Und plötzlich haben wir sechzehn! Welcher Hund hat da so eine Menge aufgedreht? Oder ist es ein Kochtopf, ein Heizkissen, oder sonst noch was?

Wir schimpften, schimpften, aber bezahlten.

Nach einem Monat haben wir wiederum sechzehn!

Die ehrlichen Mieter sagten gleich: „Wir schränken uns wie verrückt ein, und die anderen denken gar nicht daran, den Strom zu sparen. Also werden auch wir nicht mehr sparen!“

Nach einem Monat hatten wir laut Zähler neunzehn!

Die Mieter stöhnten, aber zahlten dennoch! Und legten weiter los. Löschen das Licht überhaupt nicht mehr. Und lesen Algebra. Und brennen die elektrischen Kocher. Und schalteten die Heizkissen ein.

Nach einem weiteren Monat waren es sechsundzwanzig Rubel! Mit einem Wort, als wir den Zähler auf achtunddreißig heraufgetrieben hatten, mußte der Strom gesperrt werden. Alle weigerten sich, zu zahlen. Nur so ein Intelligenzler bat und flehte und klammerte sich an die elektrische Leitung – aber mit dem wurde erst gar nicht abgerechnet. Man schnitt einfach die Leitung ab.

Gewiß, das tat man nur vorübergehend. Keiner ist ja gegen die Elektrifizierung. In der allgemeinen Versammlung hat man es also auch geklärt: sozusagen, keiner ist dagegen, und in Zukunft werden wir uns schon dafür verwenden und uns dem Leitungsnetz wieder anschließen. Vorläufig geht's auch so ganz gut! Es geht ohnehin dem Frühling zu. Es ist hell. Und dann kommt der Sommer. Die Vögelein singen. Und das Licht ist ganz überflüssig! Man hat ja keine Muster zu zeichnen . . . Nun, aber zum Winter, da werden wir nachher schon sehen ... Im Winter werden wir vielleicht den elektrischen Streit wiederaufnehmen.

Aber vorerst müssen wir uns erholen!

Moskauer Pietät

In unserer Kommunalwohnung in Moskau fiel kürzlich ein altes Männlein in einen todähnlichen Schlaf. Eines Morgens bemerkte die Familie, daß ihr Großpapa entseelt daliegt und keine Lebenszeichen von sich gibt. Da stellten alle fest, daß das Alterchen verschieden ist, und die Familie trifft so schnell wie möglich die nötigen Maßregeln. Um so mehr, als sie mit Kind und Kegel in einem kleinen Zimmerchen hausen. Dazu haben sie noch ein Kindermädchen (weil beide, Mann und Frau, in der Fabrik arbeiten); und das blöde Ding, ein Halbwüchsling von sechzehn Jahren, fürchtet sich, mit verstorbenen Leuten in einem Zimmer zu wohnen.

Der Mann, nunmehr das Haupt der Familie, lief also so schnell wie möglich ins zuständige Beerdigungsbüro.

„Nu!" sagt er zurückkehrend, „alles in Ordnung! Nur mit den Pferden ist da so ein kleiner Haken! Den Wagen geben sie sofort, aber Pferde versprechen sie nicht früher als in drei Tagen!"

Seine Frau fuhr auf ihn los: „Das habe ich mir gleich gedacht! Du", sagt sie, „hast dich mit meinem Vater schon bei Lebzeiten immer gezankt und kannst jetzt nicht einmal ein Pferd für ihn beschaffen!"

„Ach, scher dich zum Teufel", antwortete der Ehemann. „Ich bin doch kein Kutscher! Verfüge nicht über Pferde! Ich", sagt er, „bin auch selbst nicht froh, so lange zu warten! Hab' gewiß ein großes Interesse daran, die ganze Zeit deinen Papa anzuschauen!"

Hierauf spielten sich noch verschiedene Familienszenen ab. Das Kind, nicht gewöhnt, tote Leute zu sehen, brüllte aus vollem Halse.

Und das Kindermädchen weigerte sich, weiter bei einer Familie zu arbeiten, in deren Zimmer eine Leiche wohnte. Aber man überredete sie, die Stelle nicht aufzugeben, und versprach ihr, so schnell wie möglich den Tod im Zimmer zu liquidieren.

Darauf eilte die Ehefrau selbst aufs Beerdigungsamt.

„Es ist zum Heulen!“ legt sie bei ihrer Rückkehr los. „Wenn mein Mann, dieser am Leben gebliebene Idiot, sich eingeschrieben hätte, als er dort war, dann hätten wir die Pferde in drei Tagen. Aber jetzt sind wir schon die Zehnten in der Reihe!“

Und zieht mit diesen Worten rasch ihr Kind an. „Ich“, sagt sie, „weiß, was man einem Kinde zumuten darf. Ich kann ihm doch nicht schon in den zarten Kinderjahren solche Schreckensbilder zeigen! Mach du, was du willst!“

Der Mann antwortet: „Wie Ihnen beliebt! Ich bleibe auch nicht bei ihm. Das ist nicht mein Alter. Ich“, sagt er, „habe ihn schon bei Lebzeiten nicht sonderlich gemocht, und jetzt ist es mir direkt widerlich, mit ihm zusammenzuwohnen.“

Also fuhr die Frau mit dem Kind und dem Kindermädchen zu Bekannten nach Sestrorjetzk, und der Ehemann, das Haupt der Familie, legte den eingeschlafenen Alten auf einen schmalen aufklappbaren Kartentisch und stellte diesen ganzen Aufbau in den Korridor neben das Badezimmer.

Mochte er hier auf seine Pferde warten! Und sich selbst sperrte er in das Zimmer.

Hierauf entstand in der Kommunalwohnung eine furchtbare Panik. Die Frauen und Kinder weigerten sich, die Zimmer, zu welchem Zweck es auch sei, zu verlassen. Sie sagten, sie könnten am Toten nicht vorbei, ohne zu erschrecken. Schreie und Drohungen gegen den Eigentümer des Leichnams wurden laut; der aber antwortete weder auf Herausrufe noch aufs Klopfen und verbrannte inzwischen die alten abgetragenen Bastschuhe des Alten und seinen sonstigen lumpigen Nachlaß.

Schließlich wurde beschlossen, die Tür mit Gewalt zu öffnen und den Aufbau mit der Leiche ins Zimmer zu schaffen. Als die Mieter den Tisch hin und her zu schieben begannen, seufzte der Tote plötzlich leise auf. Worauf die Mieter entsetzt davonstürzten.

Als der Alte die Tür verschlossen fand, fing er an zu krakeelen und unbändig zu fluchen wie bei seinen früheren Lebzeiten, wonach die Tür sogleich geöffnet wurde und Großpapa, beleidigt knurrend, über die Schwelle trat ...

Als die Tochter in Sestrorjetzk hörte, daß ihr Papa vom Tode erwacht sei, kehrte sie sofort zurück. Das Kind, das sich in biologische Vorgänge noch nicht weiter vertieft hatte, verhielt sich ziemlich duldsam zu dieser Auferstehung. Aber das Kindermädchen, diese sechzehnjährige Gans, begann von neuem Anzeichen des Nichtlängerbleibenwollens zu äußern, zumal in einer solchen Familie, wo die Leute bald sterben, bald wiederauferstehen.

Plötzlich aber kommt der Leichenwagen angefahren. Ein schwarzes Pferd davor mit Scheuklappen. Der Mann, das abgesetzte Haupt der Familie, der verstimmt aus dem Fenster geschaut hatte, bemerkte als erster dieses Ereignis.

„Hier, Papachen, kommen endlich Ihre Pferde!“ sagte er.

Der Alte spuckte aus und erklärte, daß er gar nicht mehr wegzufahren gedenke. Er öffnete das Fenster und spuckte auf die Straße hinab. Dabei kreischte er mit schwacher Stimme, daß der Kutscher schleunigst verschwinden und gesunden Menschen nicht die Aussicht verderben solle.

Der Leichenkutscher begann saugrob zu fluchen und verlangte, daß man ihm endlich geben sollte, wonach er gekommen sei. „Ich begreife nicht“, schimpfte er, „den verantwortungslosen Unverstand dieser Leute hier! Allen ist doch der große Mangel an Pferden hinlänglich bekannt. Und sie umsonst herzubestellen ist eine reaktionäre Sabotage des Transportwesens!“

Der auferstandene Alte spuckte zur Antwort wieder durch das Klappfensterchen auf die Straße und zeigte dem Kutscher fluchend die Faust. Der fuhr endlich, heiser vom Schreien, davon und drohte, das ganze Haus unbeerdigt zu lassen ...

Vierzehn Tage darauf erkrankte der Alte, der sich am offenen Fenster erkältet hatte, und starb eines echten Todes. Anfangs glaubte niemand daran; man dachte, daß der Alte sich zum Jux tot stellte, aber der herbeigerufene Arzt beruhigte alle und sagte, daß diesmal durchaus kein Schwindel dabei sei.

Hierauf fuhr die Tochter des Alten, die Angst hatte, noch einmal auf das Beerdigungsamt zu gehen, wieder mit dem Kind und dem brüllenden Kindermädchen nach Sestrorjetzk. Ihr Mann, nunmehr von neuem das Haupt der Familie, richtete sich häuslich in einem Erholungsheim ein. Und das arme tote Alterchen wurde der Willkür des Schicksals überlassen.

Als es den Mietern zu unheimlich wurde, mit einer echten Leiche in einer Wohnung zu hausen, schickten sie zum Beerdigungsbüro. Der Leichenkutscher aber erklärte, er lasse sich nicht nochmals zum Narren halten. So blieb das tote Alterchen so lange im Zimmer liegen, bis die Miliz mit einer Lastfuhre ankam, ihn zusammenraffte und dahin führte, wohin er gehörte.

Wanzen in Festbeleuchtung

Heutzutage, Brüderchen, ist Elektrizität bei uns das Schlagwort! Das ist natürlich, ich bestreite es nicht, eine Riesensache, ganz Sowjetrußland in elektrischem Licht erstrahlen zu lassen. Doch hat es auch seine Schattenseiten!

Ich wohnte, Genossen, in einem großen Haus; verbrachte meine Abende im Schein der Petroleumlampe. Ein jeder hatte seine Beleuchtung; der eine eine Räucherfunzel, der andere eine Kerze, der dritte gar – den Mondschein!

Auf einmal kommt elektrisches Licht ins Haus! Zuerst ließ sich der Hausverwalter, ein stiller, ernster Mann, die Leitung legen. Geht von da ab noch ernster umher und schneuzt sich gedankenvoll.

Und dann kommt meine teure Wirtin, Jelisaweta Ignatjewna Prochorowa, und schlägt vor, auch unsere Wohnung elektrisch zu beleuchten.

„Alle“, sagt sie, „legen jetzt die Leitung. Selbst der Hausverwalter“, sagt sie, „wohnt schon elektrisch!“

Nun, warum nicht? Auch wir ließen uns elektrisch beleuchten ... Herrgottchen! Wie sah die Welt ganz anders aus! Rund um uns – – Dreck und Ungeziefer!

Früher ging man morgens an die Arbeit, kam abends spät heim, trank seinen Tee und – marsch ins Bett! Und es lebte sich ganz gut so: bei Docht und Funzel war nichts dergleichen zu sehen. Jetzt aber! – knipst man das Licht an – schau, hier liegt ein zerrissener Pantoffel, da hängt die Tapete in Fetzen von der Wand, dort hat jemand ausgespuckt, und aus dem Lichtbereich flieht entsetzt ein Rudel Wanzen! Das Herz tut einem weh bei solch einem Anblick!

Zum Beispiel stand da so ein Kanapee in meinem Zimmer. Ich dachte immer, es wäre ein ganz anständiges Kanapee. Und saß abends oft ganz gemütlich darauf. Jetzt aber knipse ich das Licht an – Herrgottchen! So etwas von Kanapee! Alles hängt in Fetzen daran! Und was schaut da alles heraus! Nein, auf ein solches Kanapee kann ich mich nicht mehr setzen!

Und ich merke, auch meine teure Wirtin, Jelisaweta Ignatjewna, geht traurig herum, räumt bei sich in der Küche und lärmt ergrimmt mit den Töpfen.

„Was ist?" frage ich. „Was gibt's, teure Wirtin?" Aber sie winkt nur ab und seufzt.

„Ach", sagt sie, „Sie lieber Mensch, ich wußte gar nicht, daß ich so ärmlich wohne!"

Ich werfe einen Blick auf den alten Kram: tatsächlich, nichts als Dreck, Moder und alte Koddern, und alles in strahlender Festbeleuchtung!

Am nächsten Ersten kaufte ich mir Farbe und Kleister und machte mich munter an die Arbeit. Reiße die Tapete ab, klopfe die Wanzen aus, fege die Spinnen weg, flicke das Kanapee zusammen, klebe und leime, streiche und male – und das Herz lacht mir im Leibe! ...

Aber, Brüderchen, was half mir das! Ganz umsonst habe ich das teure Geld verschwendet – die Wirtin schnitt die Leitung ab.

„Es lebt sich zu ärmlich", sagt sie, „bei dieser Beleuchtung! Was soll ich den Wanzen zum Spaß das alte Gerümpel beleuchten!" – Ich bat und drohte – umsonst!

„Ich", sagt sie, „habe kein Geld für Remonten! Wozu Licht? Wenn du welches brauchst, zieh aus!"

Ja, Brüderchen. Elektrizität ist das Schlagwort!

Aber bei uns hat es noch seine Schattenseiten!

Der Gummischuh

Gewiß, einen Gummischuh in der Trambahn zu verlieren ist nicht schwer! Besonders, wenn von der Seite jemand nachdrängt und hinten so ein Lump euch auf den Absatz tritt – schon ist der Gummischuh weg! Einen Gummischuh zu verlieren ist sogar eine Kleinigkeit!

Mir haben sie einen Gummischuh im Handumdrehen abgenommen. Man kann sagen, ich fand nicht einmal Zeit, ach! zu rufen.

Als ich in die Trambahn einstieg, waren beide Gummischuhe noch an ihrem Platz, ich erinnere mich ganz deutlich. Ich steige aus der Trambahn aus, schaue – ein Gummischuh ist da, der zweite fehlt. Der Schuh – ist da! Und ich schaue, der Strumpf – ist auch da! Und die Hosen sind an ihrem Platz. Aber der Gummischuh fehlt.

Und der Trambahn kann man natürlich nicht nachlaufen.

Ich zog also den übriggebliebenen Gummischuh aus, wickelte ihn in Zeitungspapier und ging weiter. Nach der Arbeit, denke ich, werde ich mich auf die Suche begeben. Das Zeug kann doch nicht verlorengehen.

Irgendwo werde ich den Gummischuh schon ausgraben.

Nach der Arbeit begab ich mich auf die Suche. Als erstes beriet ich mich mit einem bekannten Trambahnschaffner. Der hat mir gleich Hoffnung gemacht. „Sei zufrieden", sagt er, „daß du ihn in der Trambahn verloren hast. An einem anderen öffentlichen Ort würde ich für nichts garantieren, aber in der Trambahn etwas zu verlieren ist reines Glück! Wir haben da so ein Büro für verlorene Sachen. Geh nur hin und hol dir deinen Gummischuh!"

„Nun“, sage ich, „danke schön! Mir ist einfach ein Stein vom Herzen! Die Hauptsache: der Gummischuh ist fast neu. Ich trage ihn erst den dritten Winter!“

Am nächsten Tag fuhr ich aufs Fundbüro.

„Kann ich, Brüderchen, meinen Gummischuh wiederhaben? Ich habe ihn in der Trambahn verloren.“

„Du kannst!“ antwortet man mir. „Was ist das für ein Gummischuh?“

„Der Gummischuh“, sage ich, „ist so ein ganz gewöhnlicher, Größe Nr. 12.“

„Wir haben“, antworten die, „vielleicht zwölftausend Gummischuhe Nr. 12. Mußt schon besondere Kennzeichen angeben!“

„Die Kennzeichen“, sage ich, „sind so ganz gewöhnliche! Die Kappe ist natürlich ausgefranst; innen fehlt das Futter. Ist schon abgetragen, der Filz!“

„Wir haben“, sagt man mir, „vielleicht tausend solcher Gummischuhe. Hat deiner keine besonderen Kennzeichen?“

„Doch“, sage ich, „besondere Kennzeichen hat er auch. Die Spitze ist rundherum abgerissen und hält sich kaum noch! Und einen Absatz“, sage ich, „hat er fast auch nicht mehr. Der ist abgetreten. Aber die Seiten gehen noch, die haben bis jetzt gut gehalten!“

„Setz dich hier ein wenig“, sagt man mir. „Wir werden gleich nachschauen.“

Und plötzlich bringen sie meinen Gummischuh.

Ich habe mich gleich furchtbar gefreut. Ich war einfach gerührt. Siehe da, denke ich, wie fein der Apparat arbeitet! Und was für musterhafte Leute! Geben sich so viel Mühe wegen eines Gummischuhs!

„Danke schön!“ sage ich. „Ich bin euch dankbar, Freunde, bis ans Grab! Gebt ihn nur her. Ich ziehe ihn gleich an.“

„Nein, verehrtester Genosse!“ antworten die. „Wir dürfen ihn nicht herausgeben. Wir wissen ja nicht, vielleicht habt gar nicht Ihr ihn verloren.“

„Aber natürlich habe ich ihn verloren“, sage ich.

„Das ist sehr wahrscheinlich, aber herausgeben dürfen wir ihn nicht! Bring uns eine Bescheinigung, daß du tatsächlich den Gummischuh verloren hast. Laß dir von der Hausverwaltung diese Tatsache bescheinigen, dann werden wir ihn dir ohne weitere Verzögerung herausgeben!"

„Brüderchen", sage ich, „liebe Genossen, aber im Hause weiß man ja nichts von dieser Tatsache. Vielleicht werden sie mir gar nicht so eine Bescheinigung geben!"

„Sie werden sie geben!" antworten die. „Es ist ihre Sache, Bescheinigungen zu geben!"

Ich schaute noch einmal auf meinen Gummischuh und ging.

Am nächsten Tag begab ich mich zum Vorsitzenden der Hausverwaltung. „Gib mir eine Bescheinigung!" sage ich. „Mein Gummischuh ist mir verlorengegangen!"

„Ist es denn wahr", sagt der Hausverwalter, „daß du ihn verloren hast? Oder schwindelst du?"

„Bei Gott", sage ich, „ich habe ihn wirklich verloren!"

„Schreib eine Erklärung!" sagt der Hausverwalter.

Ich schrieb also die Erklärung. Am nächsten Tag bekam ich die amtliche Beglaubigung. Mit dieser Beglaubigung ging ich aufs Fundbüro. Und ohne weitere Verzögerung gaben sie mir den Gummischuh heraus. Als ich ihn anzog, kamen mir die Tränen der Rührung.

Nur eines ist verdrießlich: In der vorigen Woche, während der Laufereien, habe ich den anderen Gummischuh verloren. Die ganze Zeit trug ich ihn im Paket unter dem Arm und – – – erinnere mich nicht, wo ich dieses habe liegen lassen. Die Hauptsache aber – es war nicht in der Trambahn! Eine verlorene Sache, weil es nicht in der Trambahn war! Wo soll man den Gummischuh suchen?

Aber dafür habe ich ja den anderen Gummischuh wieder. Ich habe ihn auf die Kommode gestellt. Wenn ich mal so rechte Langeweile habe, schaue ich auf den Gummischuh – und gleich wird es mir so leicht und sorglos zumute.

Das ist mir ein Apparat! denke ich.

Das wirksame Mittel

Mit dem Bürokratismus könnt ihr uns nun nicht mehr schrecken! Kürzlich hat ein verehrter Genosse, Fedor Aleksejewitsch Kuljkow, dagegen ein wirksames Mittel erfunden! Ja, das ist noch ein Köpfchen!

Und das Mittel ist so wirksam, daß man es schier im Ausland patentieren lassen sollte. Jedoch zu unserem allertiefsten Bedauern ist Fedor Aleksejewitsch zur Zeit verhindert, ins Ausland zu reisen; er sitzt, der Gute, für seine geniale Erfindung! Nichts gilt der Prophet im eigenen Vaterlande!

Das Mittel gegen den Bürokratismus aber, das Fedor Aleksejewitsch erfunden hat – nun, Sie werden es sofort erfahren.

Kuljkow, müssen Sie wissen, besuchte des öfteren ein sehr ehrenwertes Amt. In einer gewissen persönlichen Angelegenheit. Er ging einen Monat lang, zwei Monate lang dahin. Täglich. Und immer ohne Erfolg. Die Bürokraten da beachteten ihn einfach gar nicht. Bald sind sie nicht zuständig und schicken ihn, treppauf, treppab, in andere Stockwerke, bald vertrösten sie ihn auf morgen, bald geben sie überhaupt keine Antwort. Schneuzen sich nur laut. Als ob das eine Antwort wäre?

Natürlich, ihr Leben ist auch kein ewiger Sonnenschein. Kommen da im Tag vielleicht hundert Leute mit blöden Fragen. Belästigen sie. Das macht sie unwillkürlich nervös und grob. Unser Kuljkow aber konnte sich mit solchen psychologischen Spitzfindigkeiten nicht trösten; er konnte einfach nicht mehr warten.

Wenn ich heute die Sache nicht zum Abschluß bringe, denkt er, verschleppen diese verdammten Bürokraten sie noch um Monate. Wie wär's, denkt er, wenn ich einem dieser Aktenschnüffler eins leicht in die Visage hauen würde? Vielleicht daß man nach solchem Ereignis die wohlgeneigte Aufmerksamkeit auf mich richtet?

Gedacht – getan! Auf alle Fälle betritt Fedor Kuljkow als vorsichtiger Mann das unterste Stockwerk, nämlich, um im Notfalle nicht allzu tief zu fallen. Geht sinnend durch die Zimmer. Und sieht plötzlich, sitzt da an einem Tisch so ein Bürokrat in mittleren Jahren. Sitzt da und tut absolut gar nichts. Ja, schlimmer noch, sitzt, pfeift leise durch die Zähne und schlenkert mit einem Bein.

Solch empörendes Betragen brachte Kuljkow ganz außer sich. Rasch tritt er vor, holt mit der rechten Hand weit aus, und ... hinüber, vom Stühlchen kippt der vermeintliche Bürokrat. Hört gleich auf, mit dem Bein zu schlenkern. Aber brüllen tut er für zwei.

Nun natürlich laufen von allen Seiten die Beamten zusammen, halten unseren Freund Kuljkow fest, während der Geohrfeigte sich hochrappelt und jammert: „Da sitze ich friedlich seit heute früh und warte ... Aber statt mich vorzulassen, verdrischt man mir hier die Fresse ..."

Fedor Kuljkow sperrte Mund und Ohren auf.

„Ja", sagt er, „Genosse, das habe ich wirklich nicht gewußt! Ich dachte natürlich, da sitzt so ein Bürokrat! Entschuldige schon!"

„Ist ja interessant, das!" schreit aufgeregt der herbeigelaufene Vorsteher. „Sofort die Akten Kuljkow bringen!"

„Erlaubt mal, Genossen", empört sich weinerlich der Geohrfeigte, „warum nur für den Attentäter solche Privilegien? In dem Falle verlange auch ich als Opfer die sofortige Aufnahme meiner Sache. Obreskin, mein Name!"

„Auch die Akten Obreskin bringen!" schreit nochmals der Vorsteher. Und das Opfer, freudig gerührt, dankt dem genialen Erfinder. Drückt ihm voll Herzlichkeit die Händchen.

„Genosse", sagt er, „ich bin Ihnen dankbar bis ans Grab! Für den tatkräftigen Beistand im Kampf gegen den Bürokratismus!"

Dann werden in Eile die Akten Kuljkow gebracht. Der Vorsteher macht seinen Eintrag. Setzt die Unterschrift darunter. Hier ein Stempel, dort ein Stempel – und die Sache nimmt nun endlich den vorschriftsmäßigen Lauf!

Dem Geohrfeigten aber antwortet man: „Sie, junger Mann,

haben sich vor allem im Amt geirrt! Sie hätten überhaupt in das Gewerkschaftskomitee gemußt! Und sitzen statt dessen hier herum!“

„Erlaubt mal, Genossen“, beginnt der Geohrfeigte wieder zu jammern, „wofür hat man mir dann hier die Visage verdroschen? Da verlange ich wenigstens eine Bescheinigung in die Akten, ungefähr so: ‚An dem und dem Datum wurde in dem und dem Amt der Genosse Obreskin mit einem Beamten verwechselt und demselben die Visage verdroschen!‘“

Diese Bescheinigung wurde Obreskin nicht gegeben. Vor Wut fast heulend, wollte er sich nun wenigstens an dem erfolgreichen Mitkämpfer gegegen den Bürokratismus rächen und stürzte sich auf ihn. Aber die feindlichen Brüder wurden schnell getrennt.

Freund Kuljkow bekam zwei Wochen. Dafür fand seine Angelegenheit einen raschen und günstigen Abschluß, ohne Umwege und Verschleppung, wie sich das für den genialen Erfinder des Mittels gegen den Bürokratismus nur geziemt!

Radfahren verboten!

Ich besitze ein ganz gutes Fahrrad. Eine anständige Maschine, auf der ich zuweilen Spazierfahrten mache – zur Beruhigung der Nerven und Erhaltung des seelischen Gleichgewichts.

Es ist wirklich eine ausgezeichnete Maschine. Schade nur, die Räder sind nicht vollzählig. Das heißt, vollzählig sind sie schon, aber sie sind grundverschieden. Das eine ist englisch, das andere aber deutsch. Und die Lenkstange ist ukrainischer Herkunft. Aber immerhin, man kann damit sogar fahren. Bei trockenem Wetter.

Das heißt, offen gesagt, ist das Fahren darauf die reinste Qual und Langeweile, aber um das Herzchen jung zu erhalten und wenn mir das Leben nicht allzu teuer erscheint, fahre ich auf meinem Fahrrad aus.

Also fahre ich einmal Rad. Auf einer großen, breiten Uferstraße. Auf dem Boulevard. Und biege dann seitwärts in die Allee ein, die neben dem Boulevard läuft.

Um mich blüht der Sommer. Das grüne Gras. Die Blumenbeete mit den verwelkten Blumen. Und über mir der blaue Himmel. Die Vöglein zwitschern. Eine Krähe pickt im Kehricht. Ein graues Hündchen bellt am Hoftor.

Ich schaue auf dieses sommerliche Bild, und das Herz wird mir plötzlich so weit, und ich habe keine Lust, an etwas Schlimmes zu denken. Ich träume von einem anständigen Leben. Von lieben, verständnisvollen Mitmenschen. Und von gegenseitiger Achtung und Feinheit der Sitten. Und Liebe zum Nächsten.

In diesem Augenblick möchte ich alle umarmen, möchte jedem etwas Liebes sagen oder ihn in ein Speisehaus führen und mit einem guten Mittagessen abfüttern. Geld möchte ich verteilen für all die viele Not und alles Leid.

Plötzlich gellt in der Ferne ein Pfiff.

Jemand hat sich gegen die Verkehrsordnung vergangen – denke ich mir. Jemand hat wahrscheinlich die Straße nicht richtig überquert. In Zukunft wird es so was sicher nicht mehr geben. Es wird nicht mehr diese grellen, beleidigenden Pfiffe geben, die jetzt noch durch ganz Rußland erschallen. Wieder gellt nicht weit von mir ein Pfiff, und ich höre Schreie und saugrobes Geschimpfe.

So grob wird man wahrscheinlich in Zukunft auch nicht mehr schreien. Das heißt, schreien wird man vielleicht noch hie und da, aber solch gemeines und beleidigendes Schimpfen wird es sicher nicht mehr geben.

Jemand, höre ich, läuft hinter mir. Und schreit mit heiserer Stimme: „Ausreißen willst du, du Schweinehund! Daß dich der Teufel hole! Auf der Stelle bleibst du stehen!"

Man jagt hinter jemand her – denke ich mir und fahre still und rüstig weiter.

„Ljoschka!" schreit einer. „Lauf mal, du Rindvieh, links herum! Laß ihn nicht aus den Augen!"

Ich sehe, von links kommt ein Bürschlein gelaufen. Fuchtelt mit einem Knüppel und droht mit der Faust. Ich drehe mich um. Ein grauhaariger ehrsamer Wächter läuft auf der Straße und brüllt laut: „Packt ihn, Brüderchen, packt ihn! Ljoschka, laß ihn nicht aus den Augen!“ In dem Augenblick legt Ljoschka auf mich an und wirft mir einen Knüppel in die Speichen. Jetzt beginne ich zu verstehen, daß die ganze Sache mich angeht, und springe gleich ab.

Der Wächter kommt herangelaufen. „Haltet ihn, haltet ihn!“ röchelt er atemlos. Gefällige Menschen, zehn an der Zahl, packen meine Hände, quetschen, kneten und drehen sie und biegen sie mir hinter den Rücken.

„Brüderchen“, sage ich, „seid ihr ganz verrückt geworden? Habt ihr mitsamt dem Dummkopf da den Verstand verloren?“

Schreit der Wächter: „Ich werde dir gleich das Maul stopfen! Wirst mich noch bei der Ausübung dienstlicher Pflichten beleidigen! Haltet ihn fest! Laßt ihn nicht aus, den Schweinehund!“

Allmählich versammelt sich das Volk. Und jemand fragt: „Ja, was hat er denn getan?“

Der Wächter sagt: „Er hat mich 53jährigen alten Mann fast zu Tode gejagt, der Hundesohn! Hier ist doch das Radfahren verboten! Hing sogar ein Schild dort. Aber dieser Teufel fährt ganz ungeniert vorbei. Ich pfeife ihm, aber er strampelt nur weiter mit den Beinen. Gut, daß mein Gehilfe ihn mit dem Stock treffen konnte!“

„Brüderchen“, sage ich. „Ich wußte nicht, daß man hier nicht fahren darf. Ich wollte ja gar nicht ausreißen!“

„Er wollte nicht ausreißen!“ keucht der Wächter. „Habt ihr solch unverschämte Reden gehört? Schleppt ihn zur Miliz!“

Irgend jemand ruft: „Reißt ihm doch nicht die Arme aus!“ Und ich sage: „Brüderchen, ich werde die Strafe bezahlen. Ich weigere mich ja gar nicht. Dreht mir nicht die Hände aus!“

Wieder meint einer: „Laßt ihn seine Papiere vorweisen und kassiert die Strafe ein. Was schleift ihr ihn unnütz zur Miliz?“

Der Wächter und ein Haufen Freiwilliger haben Lust, mich zur Miliz zu schleppen, doch nehmen sie schließlich, unter dem Druck der Mehrheit, davon Abstand. Schrecklich fluchend kassiert der Wächter das Strafgeld ein und entläßt mich mit sichtbarem Bedauern in die Freiheit.

Ich gehe schwankend und taumelnd mit meinem Fahrrad fort. Im Kopfe brummt es, und vor den Augen tanzen Kreise und glühende Punkte. Mit ausgerenkten Armen und wundem Herzen schleppe ich mich weiter. Und habe verteufelt reaktionäre Redensarten im Sinn: „Herrgott! Mein Gott!“ Ich massiere meine Hände und sage leise: „Pfui!“

Dann trete ich wieder auf die große Uferstraße hinaus und setze mich auf mein Rad und fahre still den Kai entlang. Und vergesse allmählich die rohe Szene. Und wieder male ich mir die herrlichsten Bilder der unfernen Zukunft aus. In Gedanken fahre ich auf einem Fahrrad, dessen beide Räder sich gleichen wie ein Wassertropfen dem anderen. Dann biege ich in die bewußte Unglücksallee ein und höre plötzlich jemand lachen. Ich schaue – da kommt der Wächter. In den Händen hält er ein Blümchen, ein Vergißmeinnicht, oder ist es eine Tulpe? Er dreht die Blume in der Hand und sagt lachend: „Ja, wo fährst du denn spazieren, Freundchen? Du Dummkopf bist ja auf den verbotenen Weg gekrochen! Bist mir ein rechter Maulaffe, mein Seelchen. Aber nun mal runter von hier, sonst gibt es Strafe – bekommst die Blume nicht!“

Hierauf gibt er mir lächelnd das Vergißmeinnicht, und wir trennen uns, nachdem wir Wohlgefallen aneinander gefunden haben. Dieses freundliche Bild besänftigt die erlittenen Leiden, ich fahre tapfer weiter, strampele rüstig mit den Beinen und spreche zu mir selbst: „Das macht fast gar nichts. Das Herz wird mir davon nicht brechen. Ich bin noch ziemlich jung. Ich kann warten!“

Triumph der Sparsamkeit

Wie sich die Wirtschaftsökonomie in anderen Städten auswirkt, weiß ich, Genossen, nicht.

Aber in der Stadt Borissow hat sich diese Ökonomie als sehr vorteilhaft erwiesen.

Im Laufe eines einzigen kurzen Winters wurden allein in unserem Institut sieben Klafter Fichtenholz eingespart.

Nicht schlecht, wie?

Noch zehn Jahre solcher Sparsamkeit – das macht immerhin an die zehn Kubikmeter aus. In hundert Jahren kann man ganz leicht drei Lastkähne voll zusammensparen. Und nach tausend Jahren wird man überhaupt einen Holzhandel aufmachen können.

Ja, woran dachte das Volk nur früher? Warum hat es solch eine vorteilhafte Wirtschaftsökonomie nicht schon früher in Angriff genommen? So ein Schaden!

Angefangen hat bei uns diese Ökonomie schon im Herbst.

Unser Vorstand ist ein guter Kerl. Er zieht uns in allen Dingen zu Rate. Sogar Zigaretten spendiert dieser Teufelskerl!

Und so kommt einmal im Herbst eben dieser Chef zu uns und erklärt: „Also, Brüderchen – es geht jetzt los. Streckt euch ein wenig . . . Spart, hol's der Teufel, irgend etwas ein . . ."

Aber wie und was man einsparen soll – das wird nicht bekanntgegeben. Wir besprachen und besprachen uns, was denn nun eigentlich eingespart werden soll. Dem Buchhalter, diesem grauhaarigen Teufel, das Gehalt nicht auszahlen, oder was sonst?

Der Vorstand sagt: „Nein, Brüderchen, wenn man den Buchhalter nicht auszahlt, läuft uns dieser grauhaarige Teufel aufs Arbeitsgericht. Das geht also nicht! Man wird was anderes ausdenken müssen!"

Da brachte, Gott sei Dank, unsere Putzfrau Njuscha einen hausfraulichen Vorschlag zur Diskussion.

„Wenn schon einmal" – sagt sie – „die Wirtschaftslage es verlangt und überhaupt Wasserspülung vorhanden ist, so kann man" – sagt sie – „zum Beispiel die Toilette ungeheizt lassen. Was soll man da unnütz die Holzscheite verschwenden! Ist ja kein Wohnzimmer schließlich!"

„Richtig!" sagen wir. „Mag die Toilette ruhig kalt bleiben. Vielleicht sparen wir dabei sieben Klafter ein. Und was die dortige Kälte anbelangt – so ist das durchaus nicht schlimm! In der Kälte wird sich keiner gerne aufhalten. Vielleicht, daß sich dadurch sogar noch die Arbeitsleistungen erhöhen!"

So wurde es denn auch gemacht. Wir hörten auf zu heizen und zählten statt dessen die Ersparnisse.

Tatsächlich, sieben ganze Klafter wurden eingespart. Wir begannen schon die achte zu sparen – da brach der Frühling an. So ein Ärger!

Wenn dieser Teufelsfrühling nicht gekommen wäre – denken wir –, hätten wir noch einen halben Kubikmeter eingespart!

Mit einem Wort, geschädigt hat uns der Frühling. Aber schließlich – auch sieben Klafter Holz findet man nicht auf der Straße!

Und was das Rohr anbelangt, das da beim starken Frost geplatzt ist, – so hat es sich herausgestellt, daß dieses Rohr noch aus der zaristischen Zeit stammte. Solche Rohre sollte man überhaupt mitsamt der ganzen Wurzel ausreißen!

Nun ja, den Sommer über kommen wir ganz gut ohne Rohr aus. Und im Herbst werden wir dann irgendein ganz billiges legen lassen. Es ist ja schließlich kein Empfangssalon!

Fensterglas

Unlängst, meine verehrten Genossen, verbrachte ich einige Zeit in einem Erholungsheim.

Das Haus ist wunderbar. Und alles Drum und Dran – ganz prächtig. Ohne Fehl! So daß hier einzig das Gefühl der Dankbarkeit im Herzen des Erholungsbedürftigen erwacht, und nichts sonst.

Nichtsdestoweniger sollten Sie sich das unterhaltende Histörchen anhören, das sich an dieses Erholungsheim knüpft.

Erwähnt sei noch, daß es weit außerhalb der Stadt im Walde liegt. Es wurde erst vor ganz kurzer Zeit erbaut – im vergangenen Herbst nämlich.

Noch vor fünf Jahren hätte man solche Häuschen wie dieses

lieblos am laufenden Band hergestellt. Heute und hier aber hat sich der Architekt wirklich viel Mühe gegeben und hat das Haus von Grund auf gut und schön erbaut, – wir möchten fast sagen: künstlerisch. Und das ist recht so!

Ohne Säulen ging es freilich nicht ab. Ja, wenn schon die Liebe zur griechischen Architektur lebendig ist – müssen natürlich auch Säulen da sein. Übrigens hat der Architekt hier gar nicht so sehr viele Säulen errichtet – im ganzen nur zwei Stück. Und obendrein kann man diese aus der Ferne gut für zwei Kiefern halten. So daß weiter davon nicht die Rede zu sein braucht. Sie stehen halt da – und Futter brauchen sie auch nicht!

Aber darum geht's auch gar nicht.

Sie betrachten also dieses Haus, und alles gefällt Ihnen – und das Herz freut sich dabei, und die Seele erholt sich. Dann aber gleitet Ihr Blick auf die Fenster des untersten Stockwerks, und Sie bemerken plötzlich etwas Ungewöhnliches. Sie haben vielleicht schöne moderne Fensterscheiben erwartet, statt dessen aber sehen Sie Fensterrahmen, in die mal zwölf, mal sechzehn kleine Glasstückchen eingekittet sind.

Sie betrachten noch einmal verwundert alle sechs Fenster der Vorderfront. Tatsächlich. Die Fenster in den prächtigen Eichenrahmen bestehen aus winzigen Glasscheibchen.

Sie kommen zu dem Schluß, daß der Architekt kurz vor der Fertigstellung des Baus den Verstand verloren haben muß, da er solche Jahrmarktbudenfenster zimmerte. Und damit geben Sie sich zufrieden, zumal Sie erfahren, daß vielen Kurgästen gerade diese Fenster am meisten gefallen. Sie erinnern eben manchen Kurgast an das Knusperhäuschen im tiefen Walde und ähnliche schöne Märchendinge.

Eines Morgens, als ich in den Garten hinaustrat, kam einer der hiesigen Angestellten zu mir und sagte: „Hören Sie mal zu! Ich kann Ihnen eine Geschichte erzählen. Sie werden dann begreifen, warum wir solch sonderbare Fenster haben. Nur habe ich eine Bitte: Wenn Sie darüber schreiben – dann schreiben Sie wenigstens nicht, um welches Erholungsheim es sich handelt, – sonst wird noch die ganze Umgebung lachen! Und das wollen wir doch nicht!“

Ich sage: „Erzählen Sie nur. Sicher ist es interessant!“

Und er erzählte also folgende Geschichte:

Im Herbst war das Haus fertig. Und im Oktober erwarteten wir schon die ersten Gäste.

Im September wurden in fieberhafter Eile die letzten kleinen Arbeiten ausgeführt. Die Türklinken waren schon angebracht und die Riegel angeschraubt. Man hängte Bilder an die Wände und Gardinen an die Fenster. Alles war fertig zum Empfang der lieben Gäste. Nur bei den Fenstern gab es eine kleine Verzögerung. Die ganze Vorderfront mit den Riesenfenstern war noch unverglast.

Draußen aber waren Herbst und Feuchtigkeit. Zwar wurden die leeren Fensterrahmen mit Brettern zugenagelt, aber das war schließlich kein Ersatz.

Unser Direktor schrieb Jammerbriefe hierhin und dorthin – daß man uns schleunigst Glas schicken möge, – aber ganz ohne Erfolg.

Jeden Morgen, in der Früh, lief der Direktor ins Depot und bat dort händeringend um Glas und schrie und tobte teufelsmäßig. Er sagte auch, daß der Neubau zugrunde ginge. Noch ein paar Wochen, und es würde eine Katastophe geben – sagte er –, wenn er das Glas nicht gleich bekäme.

Aber im Depot zuckte man bloß mit den Schultern und sagte, daß Fensterglas zwar erwartet werde, aber bis zum Tage noch nicht eingetroffen sei. Und es sei also ganz vergebens, hier zu schreien und teufelsmäßig zu toben; das würde der Sache auch nicht helfen. Außer ihm, dem Direktor des Erholungsheims, warte noch ein anderer Bauherr auf Glas und rege sich gar nicht auf.

Der Direktor in seiner wilden Ungeduld dampfte ab nach Moskau. Aber dort sagte man ihm, daß das Fensterglas schon unterwegs sei.

Der Direktor kehrte zurück. Rannte von neuem ins Depot. Aber im Depot erwiderte man ihm wieder seelenruhig: „Bis jetzt sind Ihre Fenster noch nicht da. Aber sobald sie kommen, teile ich es Ihnen mit.“

Der Direktor bekam darauf im Depot einen Tobsuchtsanfall. Er schrie, daß man ihn morde, daß sein Herz – welches das Herz eines Sowjetbürgers und verantwortungsbewußten Mitgliedes des

Gemeinwesens sei – diese Belastungsprobe nicht aushalten werde ... Daß im ganzen nur noch neun Tage Zeit seien und daß die ersten Kurgäste sicher schon ihre Koffer packten, um hierher zur Erholung zu kommen ...

Im Depot antwortete man wieder: „Euer Schreien ist ganz umsonst. Wenn nun einmal Fensterglas nicht da ist, – so kann das Depot die Bestellung nicht ausführen. Beruhigen Sie Ihre Nerven!"

Tiefbetrübt kam der Direktor nach Hause.

Der Bauleiter und die Arbeiter trösteten ihn, so gut sie konnten. Sie sagten, daß man noch gut ein paar Tage warten könne. Und daß man die Fenster schlimmstenfalls drei Tage vor der Ankunft der Gäste einsetzen könnte.

In den drei Tagen würde der Kitt schon eintrocknen und auch die Räume warm und trocken werden.

Aber der Direktor blieb untröstlich.

Zwei Tage später, als nur noch sechs Tage bis zur Ankunft der ersten Kurgäste blieben, kam gegen Abend der Bauleiter zum Direktor gerannt und sagt: „Die Niederträchtigkeit des Depotverwalters kennt keine Grenzen! Sie haben nämlich Fensterglas im Depot! Zwei Kisten mit Glas liegen bei ihnen hinter dem Schuppen im Dreck ... Mein Neffe sah diese Kisten, als er heute Firnis holte. Sicher haben sie diese Fenster für den anderen Bau bestimmt. Und wir können uns hier die Fingernägel abkauen!"

Der Direktor sagt: „Dieser Depotverwalter war mir schon immer zuwider. Konnte denn nicht dieses Rindvieh die für weiß der Teufel wen bestimmten Fenster uns geben? Ich war doch noch heute bei ihm – und er ließ sich nicht einmal sprechen!"

Der Bauleiter sagt: „Uns bleibt nur eins: – diese Fenster aus dem Depot zu klauen. Wenn dann unsere Fenster kommen, kann der Verwalter sie ja dem anderen Bau geben, für den er jetzt so fürsorglich das Glas hütet. Das ist nur gerecht!"

Der Direktor sagt: „Gerecht wäre das schon – aber nicht ungefährlich. Der Depotverwalter wird hergelaufen kommen, sein Glas sehen und einen mordsmäßigen Krach machen!"

Der Bauleiter sagt: „Ach, wir nehmen einfach dieses Glas und schneiden es in kleinere, zusammenfügbare Stücke. Und kein Teufel in der Welt wird sie wiedererkennen!"

Der Direktor sagt: „Es bleibt einem ja keine Wahl! Ich muß wohl damit einverstanden sein. Gut, holt das Glas und schneidet es in Stücke!"

Und also krochen der Bauleiter mit seinem Neffen und auch der Direktor selbst mit seiner Frau nachts über den Zaun des Depots und klauten dort zwei Kisten mit Fensterglas.

Die ganze Nacht und den darauffolgenden Morgen wurde in fieberhafter Eile gearbeitet. Der Glaser schnitt das Glas in Stücke, der Zimmermann hobelte neue Querhölzer für die Fensterrahmen, und der Bauleiter selbst strich diese Querhölzer mit Farbe an. Um Mittag war alles fertig. Da aber kommt plötzlich der Depotverwalter, ganz bleich im Gesicht, angerannt und sagt zum Bauleiter folgendes: „Also, gestern gegen Abend kamen endlich die Fenster für Euch an! Heute nacht aber hat sie irgendein Schuft geklaut! Was soll man nun machen – ich weiß nicht mehr ein noch aus!"

Der Bauleiter sagt: „Ach, wie schade, daß man Euch diese Fenster gestohlen hat! Nur gut, daß wir uns noch rechtzeitig beholfen haben; – wir haben uns unter der Hand so'n Glaszeug besorgt . . . Sonst säßen wir jetzt schön in der Tinte!"

Der Depotverwalter schaute sich mißtrauisch die verglasten Fensterrahmen an, da er aber nur winzige Glasscheiben erblickte, ging er ahnungslos von dannen. Die Sache ist aber nachher doch noch herausgekommen.

Der Depotverwalter, der schon vorher den Direktor kaum gegrüßt hatte, hörte ganz und gar auf, ihn zu grüßen. Aber unser Direktor pfeift darauf!

Die Uhr

Ich weiß nicht, ob's wahr ist, aber man sagt, daß in der Schweiz Uhren sehr billig seien. Dort, sagt man, gäbe es sie beinahe umsonst.

Nun, diese Ührchen sind vielleicht ein rechter Schund, und wahrscheinlich gehen sie kaum – aber, wie dem auch sei, billig sind sie auf jeden Fall.

Sicher ist unser Trust für Feinmechanik zur Zeit mit anderen Dingen beschäftigt. Sicher hat er gegenwärtig ganz andere und viel grandiosere Aufgaben zu lösen. Vielleicht fabriziert er die ganze Zeit Kilometermesser und Pillen gegen Kopfweh eben für jene Personen, die sich dieserhalben krank geärgert haben. Wie gesagt, ich weiß es nicht genau. Aber Uhren macht unser Trust für Feinmechanik augenblicklich nicht. Ihm ist's, wie man sieht, nicht darum zu tun.

Ja, es muß aber auch gesagt werden: so halsabschneiderisch notwendig sind Uhren in unserem Alltagsleben gar nicht. Man kann sogar sagen: Uhren sind in der gegenwärtigen Zeit ein überflüssiger Ballast – der einem bloß die Hosentaschen ausbeult.

Denn – ob's Zeit ist, mit der Arbeit aufzuhören – das sieht man auch ohne Uhr. Schlafen gehen kann man auch ohne. Und beim Essen wiederum bedarf man ihrer ebensowenig – da kommt's nur auf den Geldbeutel und schließlich noch auf den Hunger an.

Aber seht, in der Frühe rechtzeitig zur Arbeit aufzustehen – ohne jeden Zeitmesser –, das ist, rundheraus gesagt, äußerst schwierig.

Natürlich kann man z. B. die Zeit beim Nachbarn erfragen. Oder man kann auch schnell mal zum Bahnhof hinlaufen, um nachzuschauen, wie spät es ist – aber schließlich ist das nicht gerade bequem. Auch kann es leicht geschehen, daß der Nachbar selbst keine Uhr besitzt. Mein Zimmernachbar z. B. steht morgens auf, wenn ich mich erhebe. Und ich wache auf, wenn meine Hauswirtin sich rührt. Nur rührt sich die Hauswirtin nicht immer pünktlich auf die Minute, so daß in dieser Hinsicht unser Chronometer nicht genau funktioniert. Sie leidet nämlich an Gelenkrheumatismus und kriecht zuweilen fünf Tage lang nicht aus dem Bett. Da kenn dich nun aus – wie spät es ist!

Ach nein! Ganz schlimm ist's ohne Uhr!

Und was die Hauptsache ist: Eben dieses Mangels wegen komme ich des öfteren zum Dienst zu spät. Drum sagte man mir auch: „Kommen Sie pünktlicher, Genosse! Sonst müssen wir Sie melden!"

Nun, ich gebe mir natürlich schreckliche Mühe und stehe mit den Hühnern auf.

Im Sommer aber ist die liebe Sonne meine Uhr. Der Fußboden in meinem Zimmer hat neben dem Ofen ein ziemlich großes Loch. Ein Löchlein unbekannter Herkunft. Und wenn der erste Sonnenstrahl eben dieses Löchlein erreicht – dann ist es ganz genau fünf Minuten vor sieben und damit höchste Zeit aufzustehen.

Übrigens hat mich auch die Sonne, dieses pünktliche Gestirn, einmal angeführt.

Reiß' ich mich doch neulich von meinem Kopfkissen los und schaue auf meine Uhr. Bis zum Löchlein, sehe ich, ist's noch ziemlich weit. Es ist also – denke ich – halb sieben! Man kann sich noch ein halbes Stündchen auf die Seite legen.

Ich schlummere mit gutem Gewissen eine halbe Stunde. Stehe auf, ohne mich zu beeilen. Und gehe zum Dienst.

„Wieder zu spät!" – heißt's.

Ich aber will's gar nicht glauben.

„Wieso denn?" – sage ich.

„Jawohl!" – sagt man mir. „Stellt Euch bloß vor, zwanzig ganze Minuten zu spät!"

„Brüderchen!" – sage ich. „Das muß ein Mißverständnis sein. Jetzt kenn' ich mich überhaupt nicht mehr aus!"

„Vielleicht geht deine Uhr nach!" – sagt der Chef. „Jawohl!" –

sage ich. „Natürlich geht die nach. Das Loch“ – sage ich – „geht nach, nicht die Uhr.“ Und erkläre alles der Wahrheit gemäß. Sagt der Chef: „Das ist eine alte Geschichte! Ich selbst“ – sagt er – „richtete mich lange Zeit nach einem Nagel im Gesims. Da senkte sich aber das Gesimschen bei uns. Teufel noch mal! Nun, bei dir wird's nicht anders sein. Wirst schon sehen: das ganze Haus hat sich gesenkt!“

Das ganze Haus zwar hatte sich nicht gesenkt, aber der Fußboden war, wie es sich später herausstellte, richtig etwas runtergerutscht. Die Ursache – war der Holzwurm. Das liebe Würmchen hatte den Querbalken angebohrt. Und seitdem geht das Loch um zwanzig Minuten nach. Aber sonst ist alles in Ordnung!

Wie sagt doch das Sprichwort? „Mühe und Fleiß bricht alles Eis!“ Oder: „Mit Geduld und Zeit wird das Maulbeerblatt zum Atlaskleid!“ Wer weiß also, vielleicht ist die Zeit nicht mehr fern – und jeder Genosse kauft sich schier für jede Tasche eine Uhr! Und zu einem erschwinglicheren Preis, als das heute üblich ist!

Feste Valuta

Ach, das Metallgeld gefällt mir nicht, Genossen! Nicht den geringsten Vorteil hat man davon. Nur unaufhörliche Sorgen und Beschwerden!

Nehmen wir mal ein silbernes Zwanzigkopekenstück. Klingen tut's ja prächtig – ohne Zweifel, aber steck es nur in die Hosentasche – weg ist's! Nur ein winziges Löchlein in der Tasche – und euer Hartgeld hat sich zu Teufels Großmutter verrollt. Wisch danach den Fußboden schier mit der Zunge auf, klemm den Operngucker auf die Nase und such das ganze Haus ab!

Ist's aber Papiergeld – die weiche Währung also –, so kann man auch darüber nicht viel Gutes sagen. Nur eine unaufhörliche

Schererei für die Genossen! Ein Papierchen wie jedes andere! Setzt du dich an den Tisch und spielst um ein paar Augen – und schon ist das Papierchen futsch! Nein, ob Papierchen, ob klingende Münze – die Valuta gefällt mir nicht. Ist mir nicht sympathisch.

Und wie langweilig ist's, mit solchem Geld einzukaufen! Welch ein Stumpfsinn! Schier alle Lust zum Handel vergeht dir dabei!

Du kommst in das Lädchen. Steht da so ein bärtiger Ladenschwengel und schleift das Messer. Nun, guten Tag, guten Tag! Sozusagen, was steht zu Diensten? Du verlangst gemischten Aufschnitt und gehst zur Kasse und zahlst – und Schluß! Aus ist das ganze Geschäft! Kein Streiten gibts, kein Handeln und kein Feilschen! Auf die Ware darfst du nicht spucken! Und dem Verkäufer eine runterhauen, auch das ist nicht erlaubt!

Ach, langweilig ist's, Brüderchen, mit solch einer Währung! Ich, Brüderchen, bin überhaupt gegen jeden Geldverkehr. Ich bin mehr für die andere Ordnung!

Ist's, sagen wir mal, ein goldenes Ringlein oder ein Zigarettenetui – so heißt man's eben Hartgeld; sind's Hosen oder ein Hut – so wäre es wiederum die weiche Valuta. Ach, herrlich geht's damit und gut!

Bringst z. B. den Bäuerlein ein paar Hosen aufs Dorf. Packst sie aus, fuchtelst ein bißchen in der Luft damit, drückst hie und da ein Löchlein mit dem Daumen zu, und bitte schön, heranspaziert, Genossen! Schleift nur eure Vorräte zum Tausch herbei!

Natürlich werden manche Genossen vielleicht sagen, daß solch eine Währung etwas unbequem sei. Man hätte nur seine Schlepperei und Schererei damit! Unsinn! Diese Währung ist sogar sehr bequem und gut.

Und was die Unannehmlichkeiten betrifft – die gibt's schließlich bei jedem beliebigen anderen Geschäft auch.

Einmal hatten wir solch eine Schererei! Das war nämlich, als wir das Klavier vertauschen wollten. So ein kleines Klavierchen, aber mit richtigen schwarzen und weißen Tasten, mit einem Deckelchen und zwei kleinen Pedalen. Und es stand dieses Klavierchen in der ehemaligen leeren Wohnung eines zaristischen Generals. Was soll dieses herrenlose Gut, denken wir, so unnütz verkommen. Und mit

Erlaubnis der Mieter schleppten wir also dieses Klavierchen in die weite Welt. Zu dritt. Natürlich war's nicht leicht! Der Schweiß rann in Bächen, und die Hosen klebten. Das war eine Plackerei! Kaum, daß wir's in den Güterwagen hineinbrachten!

Dem Volk war's natürlich zum Lachen! Steht da grinsend herum und fragt interessiert, wohin wir die Musik verfrachten. Wir führten sie aber ins Tscheretzkoje. Gegen Butter!

Wir kamen auch glücklich an. Schleppten das Klavierchen ins erste Dorf. Man nimmt es nicht. Ein Bäuerlein hätte es zwar genommen, aber das Klavier ging nicht in seine elende Bauernhütte hinein. Wir versuchten es auf diese Weise und jene – und es ging auf keine Weise. Wir wollten schon eine Wand einreißen – aber da wurde unser Bäuerlein halsstarrig und machte Sperenzchen. Der Preis ist ihm recht – und das Klavier will er arg gern haben – aber es geht nun einmal nicht.

„Reg dich nicht auf, mein Lieber!" sagte ich. „Wenn es nicht hineinwill – macht es auch nichts! Laß es ruhig auf dem Hof stehen. In der frischen, freien Luft. Um so besser fürs Klavier!"

Nein, mag er nicht!

Ich sage: „Willst du nicht – soll's mir recht sein! Reg dich nicht auf! Wie wärs aber, wenn wir so ein kleines Wetterdach über dem Klavierchen errichten? So einen Baldachin, wie?"

Nein! Er hat Angst, daß der Baldachin die Kuh verschrecken wird. Na, dann also nicht! Wir schleifen das Klavier in ein anderes Dorf. Im zweiten Dorf – das gleiche Elend!

Wir hielten drum Rat, was zu tun sei, und kamen zu dem Entschluß, daß wir es im Ganzen kaum, aber um so eher Teil für Teil an den Mann bringen würden. Einem Käufer – die Pedale, dem anderen – die Tasten. Ganz nach Wunsch! So haben wir es denn auch verhökert und vertauscht.

Und was die Unannehmlichkeiten betrifft: die Unannehmlichkeiten stellten sich erst später ein. Als wir heimkamen – wurden wir nämlich zur Verantwortung gezogen. In der Gerichtsverhandlung aber stellte es sich heraus – wieso und warum das Klavier in keine Hütte ging. Man hätte die Füße abschrauben müssen. Ach, man lernt doch nie aus!

Die Tonne

Frühling ist's, Brüderchen! Und ehe man sich's versieht, ist auch der Sommer da. Ach, schön ist's, Genossen, im Sommer! Die Sonne backt. Welch eine Glut! Und du gehst wie so ein Teufelskerl ohne Filzstiefel und in Unterhosen allein umher und atmest tief. Vögelchen flattern über dir in den Lüften und zwitschern, die Käfer summen und eilen wer weiß wohin. Ach, schön ist's, Brüderchen, zur Sommerzeit!

Freilich ist es schön im Sommer, aber nicht so ganz!

Vor etwa zwei Jahren waren wir im Roten Kooperativ beschäftigt. Hinterm Ladentisch. Das war halt so eine Epoche in unserem Leben! Wir mußten damals hinterm Ladentisch stehen.

Und seht, Genossen, für den Roten Kooperativ ist nichts schädlicher als die Hitze! Die Lebensmittel werden doch schlecht. Fault das Zeug etwa nicht, he? Natürlich fault's. Und wenn's fault, hat der Rote Kooperativ etwa keinen Schaden? Und wie!

Zur gleichen Zeit aber ist vielleicht gerade die Wirtschaftsökonomie als Tagesparole ausgegeben worden. Wie soll man nun Sommerhitze und Wirtschaftsökonomie verbinden, frage ich Sie?

Genossen, man kann wirklich nicht wie ein krasser Egoist an die Naturereignisse herangehen und tanzen und sich freuen, wenn die warme Zeit kommt. Man muß doch auch an den allgemeinen Nutzen denken, Genossen!

Ich erinnere mich, bei uns im Kooperativ war das Sauerkraut schlecht geworden. Es war, entschuldigt schon den Ausdruck, in Fäulnis übergegangen. Nicht genug damit, daß der Rote Kooperativ einen glatten Verlust buchen konnte, es kamen dadurch auch noch Ausgaben hinzu. Es erwies sich nämlich als notwendig, diese verdorbene Ware wegzuführen. Bei euch ist's verfault, also zahlt nur hübsch eure Rubelchen drauf! So ein Ärger!

Es war obendrein eine riesige Tonne mit Sauerkraut! So ein Tonnenungetüm von gut acht Pud. Und rechnet man erst in Kilogramm, dann ist es schier nicht auszurechnen. So eine Riesentonne war das!

Und was für ein Düftchen von dieser Tonne ausging – nicht zu beschreiben!

Unser Verwalter Iwan Fedorowitsch kam durch diesen Duft fast von Sinnen. Er geht ganz blaß umher und schnuppert nur.

„Mir scheint, Brüderchen" – sagt er – „es riecht hier wonach?"

„Es riecht nicht nur, Iwan Fedorowitsch" – sage ich – „sondern es stinkt schon richtig!"

Und der Geruch war tatsächlich, muß man sagen, niederschmetternd. Sogar die Straßenpassanten hüteten sich, auf unserer Seite vorbeizugehen. Es warf sie glatt um!

Man mußte dieses Tönnchen so schnell wie möglich beiseite schaffen – aber unser Verwalter, Iwan Fedorowitsch, wollte nicht recht ran. Das Geld, seht, tat ihm leid. Ein Lastwagen mußte gemietet werden und dies und jenes. Und der Weg durch die Stadt ist lang!

„Brüderchen!" – sagt der Verwalter – „wenn's auch jammerschade ist ums Geld, und unsere Prozente" – sagt er – „nehmen dadurch auch ab, so werden wir dieses Tönnchen dennoch abführen lassen müssen. Der Geruch ist doch zu schlimm!" Bei uns aber war damals ein Handlungsgehilfe, Wassjka Werjowkin mit Namen. Dieser Werjowkin also meinte: „Das ist doch der reine Blödsinn, Genossen, dies Tönnchen hier abzutransportieren, zugleich damit noch bares Volksvermögen zu vergeuden und die eigenen Prozente zu schmälern! Laßt uns einfach die Tonne auf den Hof hinausstellen! Und warten, was uns der Morgen bringt!" Wir wälzten also das Tönnchen auf den Hof. Am nächsten Morgen kommen wir in den Kooperativ – die Tonne steht blitzblank und leer da. Das ganze Sauerkraut hat man geklaut über Nacht! Wir Kooperativangestellten konnten uns kaum fassen vor Freude. Die Arbeit flog uns den ganzen Tag nur so von der Hand – das war ein Aufschwung! Und unser Verwalter, das Täubchen, geht umher und reibt sich vergnügt die Hände. „Ausgezeichnet, Genossen!"

sagt er – „ganz ausgezeichnet. Jetzt kann uns meinetwegen die ganze Ware verfaulen, wir machen es jetzt immer so!"

Bald darauf verdarb wieder ein Tönnchen Sauerkraut und ein Zuberchen Gurken dazu. Wir waren natürlich hocherfreut, rollten das kostbare Gut auf den Hof hinaus und ließen sogar das Pförtchen einen Spalt weit offen. Damit die Ware von der Straße besser zu sehen war. Los, Bürger, greift nur zu!

Aber dieses Mal hatten wir uns verrechnet. Diese Teufel stahlen nicht nur das Sauerkraut und die Gurken, sondern ließen auch die ganze Tonne und das Zuberchen verschwinden.

Nun, die nächsten Male waren wir klüger und haben die faulen Lebensmittel einfach auf eine Strohmatte gekippt. Mit dieser verschwanden sie dann auch.

Das Kino

Ich verschmähe ja das Theater nicht. Aber das Kino ist doch besser. Es ist irgendwie vorteilhafter als das Theater. Zum Beispiel braucht man die Garderobe nicht abzugeben – und spart manchen Groschen dadurch. Das Rasieren wiederum ist auch nicht unbedingt notwendig – im Dunkeln ist ja die Schönheit nicht zu sehen.

Nur kommt man im Kino nicht ohne weiteres in den Zuschauerraum hinein. Es ist sogar ziemlich schwierig, reinzukommen. Man kann da leicht totgequetscht werden.

Aber alles übrige ist ideal. Man schaut einfach hin! Am Namenstag meiner Ehegattin zogen wir beide los, uns einen Film anzusehen.

Kaufen die Eintrittskarten und begannen zu warten.

Es hatten sich eine Menge Leute angesammelt. Und alles drängte zur Tür.

Plötzlich öffnet sich die Tür, und das Fräulein sagt: „Vorwärts! Rein!"

Im Nu ging das Gedränge los.

Denn jeder, seht, hatte Lust, einen besseren Platz zu erwischen.

Das Volk also stürzte zur Tür. Die aber war schon verstopft. Die Hinteren drängen nach, und die Vorderen können nicht vor.

Ich selbst wurde plötzlich zusammengepreßt wie eine Sprotte und in Windeseile nach rechts geschoben.

Herrgottchen – denke ich noch – bloß die Tür nicht einrennen!

„Genossen!" schrei' ich – „langsamer, um Gottes willen! Die Tür" – sag' ich – „kann man ja leicht mit einem Menschen in Stücke brechen!"

Der Strom aber war schon unaufhaltsam.

Hinter mir – merk ich – drängt sich ganz unvornehm ein Soldat. Bohrt mich direkt in den Rücken, der Hundesohn! Ich stieß diesem Teufelssoldaten das Bein in den Bauch.

„Lassen Sie gefälligst" – sag ich – „Ihre Teufelsstückchen, Genosse!"

In dem Augenblick aber werde ich leicht angehoben und mit der Schnauze direkt gegen die Tür geknallt.

So – denk ich – jetzt beginnt man schon die Tür mit dem Publikum zu demolieren!

Ich wollte von dieser Tür weg. Und begann, mir mit dem Schädel den Weg zu bahnen. Aber es ging nicht.

Und da seh' ich gerade, daß ich mit den Hosen an der Türklinke hängengeblieben bin. Mit der Hosentasche.

„Zu Hilfe!" – schrei ich. „Genossen, vorsichtiger, wenn ich bitten darf! Ein Mensch ist an der Türklinke hängengeblieben!"

„Los, Genosse! Hakt Euch ab!" – schreit man mir zurück. „Wir wollen auch rein!"

Aber wie soll man sich loshaken, wenn man in einem fort hin und her gezerrt wird und man überhaupt die Hand nicht rühren kann.

„Bleibt doch stehen, zum Teufel!" – schrei ich wieder. „Wartet doch wenigstens, bis ich die Hosen runter habe. Der Stoff geht ja zugrund!" Aber meinen Sie, die hören drauf? Drängen und quetschen nur toller.

„Fräulein!" – sag ich zu meiner Nachbarin – „wenden Sie sich wenigstens ab. Man zerrt mir sozusagen die Hosen vom Leibe!"

Das Fräulein aber steht selbst ganz blau da und röchelt schon. Und zeigt überhaupt kein Interesse herzuschauen.

Plötzlich aber, Gott sei Dank! – geht's ganz leicht vorwärts.

Entweder – denk ich – bin ich glücklich von der Türklinke losgekommen, oder man hat mich aus den Hosen gezogen.

Und nun wurde auch der Durchgang breiter. Ich atmete erleichtert auf. Sah mich um. Die Hosen – seh ich – sind im ganzen noch da. Nur das eine Hosenbein ist durch die Türklinke aufgeschlitzt und flattert beim Gehen lustig wie ein Segel im Winde. So zieht man hier die Zuschauer aus! – denk ich.

Und ging in solch einem Aufzug weiter, die Gemahlin zu suchen. Die saß schon da und genierte sich, zu mir herauszukommen.

Da wurde es aber, Gott sei Dank, dunkel. Und die Vorführung begann.

Was das aber für ein Film war – kann ich beim besten Willen nicht sagen. Ich habe die ganze Zeit meine Hosen repariert. Eine Stecknadel fand sich zum Glück bei meiner Ehegattin. Und vier weitere nahm eine edelmütige Dame aus ihrer Unterkleidung raus. Dazu fand ich noch ein Stückchen Schnur am Fußboden. Die halbe Vorstellung habe ich danach gesucht.

Ich band, knüpfte und steckte, und da war auch, Gott sei Dank, der Film zu Ende. Wir gingen heim.

Liebe Gäste

Sagt, von wem spricht man bei uns am meisten? Vom Gast natürlich! Der Gast ist neuerdings ganz aus der Art geschlagen. Die ganze Zeit muß man auf ihn Obacht geben. Daß er seinen eigenen Mantel anzieht. Und sich nicht eine fremde Lammfellmütze auf den Schädel stülpt.

Essen kann er ja, soviel er mag. Aber ist es denn nötig, daß er die Speisen noch in eine Serviette einwickelt! Das ist doch überflüssig!

Gibst du aber nicht acht, so können dir die Gäste an zwei Abenden dein ganzes Hab und Gut mitsamt den Betten davontragen.

Ja, solche Gäste gibt's heutzutage!

Bei meinen Bekannten hat sich in den Feiertagen infolge solcher Gästefurcht eine kleine Begebenheit zugetragen. Es waren bei ihnen zu Weihnachten fünfzehn der allerverschiedensten Gäste geladen worden. Es waren Damen da und auch solche, die keine sind, tüchtige Zecher und auch solche, die nur gerne einen heben.

Die kleine Abendgesellschaft war prächtig!

Fürs Essen allein waren an die sieben Rubel ausgegeben worden. Und die Kosten für die Getränke wurden umgelegt. Zwei und ein halber Rubel pro Nase. Die Damen frei! Obwohl das – offen gesagt – dumm ist! Manche Dame nippt sich derart voll, daß sie jedem Mann um gut hundert Nasenlängen voraus ist! . . . Aber wir wollen uns nicht in solche Details verlieren und unsere Nerven unnötig reizen. Das ist ja Sache der Gastgeber! Sie haben darauf achtzugeben!

Und Gastgeber gab's hier im ganzen drei. Die Eheleute Sefirow und ihr Alterchen – der Papa der Ehegattin, Jewdokimytsch. Diesen hatte man wahrscheinlich eigens dazu eingeladen, die Gäste zu beaufsichtigen.

Zu dritt – sagten sie sich – können wir ganz leicht die Gäste beobachten. Können einen jeden Gast aufs Korn nehmen.

Und also begannen sie aufzupassen.

Als erster schlug Jewdokimytsch aus der Reihe. Dieses Alterchen – Gott gebe ihm Gesundheit und ein glückliches Alter! – fraß und trank sich in den ersten fünf Minuten derart voll, daß er nicht mehr „Papp!“ sagen konnte. Sitzt da, blinzelt mit den Augen und grölt den Damen unanständige Sachen zu. Der Hausherr Sefirow war über dieses schwiegerväterliche Benehmen sehr aufgebracht und begann nun selbst durch die Wohnung zu wandern und aufzupassen, wie und was geschieht und daß nichts Unrechtes geschähe. Aber gegen Mitternacht war er vor lauter Bekümmernis auch selbst schon knüppelvoll. Und schlief auf einem gut sichtbaren Platze ein, – im Speisezimmer, auf dem Fensterbrett. Später hat sich herausgestellt, daß der Zug vom Fenster ihm ein schönes

Fotografiergesicht angeblasen hatte, und er ging drei Wochen mit einer Fistel und einer dicken Backe umher.

Nachdem die Gäste nach Herzenslust gefuttert hatten, begannen sie, Spielchen zu spielen und sich zu vergnügen. Spielten Blindekuh, Hasch-Hasch und das Bürstchen-Spiel.

Während des Bürstchen-Spiels öffnete sich plötzlich die Tür, und es tritt Madame Sefirowa ins Zimmer, bleich wie der Tod, und sagt: „Das ist" – sagt sie – „doch die größte Gemeinheit! Jemand hat soeben in der Toilette die elektrische Birne von 25 Kerzen ausgeschraubt. Jetzt darf man schon" – sagt sie – „die Gäste nicht mehr in die Toilette lassen!"

Darauf gab's Lärm und Aufregung. Papachen Jewdokimytsch war natürlich im Nu nüchtern und begann, sich aufzuregen und die Gäste abzutasten. Die Damen, natürlich, kreischen und lassen sich nicht befühlen.

„Tasten Sie doch die Herren ab!" – sagen sie. „Wenn's schon nötig ist!"

Die Herren sagen: „Na, dann macht wenigtens eine allgemeine Durchsuchung!"

Man traf die nötigen Maßregeln. Sperrte die Türen ab. Und die Durchsuchung begann.

Die Gäste selbst kehrten hübsch der Reihe nach ihre Taschen um, knöpften ihre Jacken und die Hosen auf, zogen die Stiefel aus. Aber nichts besonders Verräterisches außer einigen Butterbroten, einer halben Flasche Madeira, zwei kleineren Schnapsbechern und einer Schnapskaraffe kam zutage.

Die Hausfrau, Madame Sefirowa, bat darauf inständigst um Verzeihung, sie sei sozusagen zu hitzig gewesen und habe allzu voreilig unverdienten Verdacht auf eine so ausgesuchte Gesellschaft geworfen. Und sie sprach auch die Vermutung aus, daß vielleicht jemand von außen in die Toilette gegangen sei und die Lampe ausgeschraubt habe. Die Stimmung jedoch war gründlich verdorben. Niemand wollte mehr beim Bürstchen-Spiel mitmachen. Der Tanz mit Balalaika-Begleitung kam auch nicht zustande, und die Gäste gingen verstimmt auseinander.

Am nächsten Morgen aber, als der Gastgeber seine Augen blank gerieben hatte, wurde die Angelegenheit restlos geklärt. Es zeigte sich, daß der Hausherr – aus Furcht, daß einige allzu verwegene Gäste die Lampe wegmausen könnten – sie selbst ausgeschraubt und in die Seitentasche seines Anzugs gesteckt hatte.

Dort war sie auch zerbrochen. Anscheinend hatte sich der Hausherr daraufgelegt, als er auf dem Fensterbrett entschlummerte.

Der Wunderhund

Dem Kaufmann Jeremias Babkin hat man einen Waschbärpelz gestohlen. Und dieser unvorhergesehene Verlust, Sie werden es begreifen, wurmte ihn sehr.

„Der Pelz“, sagt er, „war gar zu schön, Genossen! Das nagt mir am Herzen! Kein Geld soll mir leid tun, den Dieb zu finden. Ins Gesicht werde ich ihm spucken, dem Gauner, dem Hundesohn!“

Und also ließ Jeremias Babkin den amtlichen Spürhund kommen.

Es erschien ein Mann mit Schirmmütze und Wickelgamaschen, und mit ihm der Hund. So ein riesiger brauner Köter, mit spitzer, unsympathischer Nase.

Der Mann stieß sein Hündchen auf die Spuren an der Tür, sagte: „Pss! pss!“ und ging zur Seite. Der Hund schnupperte ein wenig in die Luft, schaute sich die Mieter an, die sich natürlich versammelt hatten, und schießt schon auf Mütterchen Fjokla los. Das Mütterchen weicht entsetzt zurück. Der Hund hinter ihr drein. Sieht da Mütterchen Fjokla, es gibt kein Entweichen vor diesem schrecklichen Hund und stürzt vor dem Agenten in die Knie.

„Hat mich erwischt!“ sagt sie, „das Wundertier! Ich leugne nichts. Fünf Eimer Branntwein sind es und der Apparat! Alles in der Rumpelkammer versteckt!“

Die Mieter sperrten Mund und Ohren auf.

„Und der Pelz?“ fragte jemand.

„Vom Pelz“, sagt sie, „weiß ich nichts, hab ihn mein Lebtag nicht gesehen! Aber alles andere ist wahr. Ich leugne nicht.“

Also führte man Mütterchen Fjokla ab.

Wieder nahm der Agent seinen Hund, stieß ihn mit der Schnauze auf die Spur, sagte: „Pss!“ und ging zur Seite.

Der Hund wirft nur einen kurzen Blick auf die Mieter, schnuppert in die leere Luft und springt plötzlich auf den Genossen Hausverwalter zu.

Der wird kreidebleich. „Bindet mich“, ächzt er, „ehrenwerte Genossen! Ich habe von euch Geld für Wasser einkassiert“, sagt er, „aber das Geld habe ich für mich selbst verbraucht!“

Vergessen waren Hund und Pelz; mit Wutgeheul fielen alle Mieter über den Hausverwalter her.

Jeremias Babkin aber begann, mit den Augen zu blinzeln. Ängstlich schaute er um sich, nahm dann schnell etwas Geld aus der Tasche und reichte es dem Agenten.

„Führ nur“, sagte er, „deinen Hund schnell wieder weg, wo der Pfeffer wächst! Laß lieber den Pelz futsch sein! Hol’s der Teufel!“

Aber schon ist der Köter zur Stelle. Steht vor Jeremias Babkin und dreht mit dem Schwanz. Hämisch grinsend.

Der Kaufmann begann zu schlottern.

„Ja!“ krächzte er, „Gott sieht die Wahrheit! Ich selbst“, sagt er, „bin der Hundesohn und Gauner! Der Pelz gehört meinem Bruder. Er hat ihn mir zur Aufbewahrung gegeben; und ich selbst habe ihn mir geklaut! Ich bin der Schuft!“

Hier stob das Volk wie der Wind auseinander. Der Hund hatte nicht einmal Zeit, in die Luft zu schnuppern. Zwei, drei hatte er gerade noch erwischt und hielt sie fest.

Auch diese beichteten. Der eine hatte Staatsgelder im Kartenspiel durchgebracht, der andere hatte seiner lieben Genossin eins mit dem eisernen Bügeleisen versetzt, der dritte hatte etwas so Peinliches gesagt – daß man es gar nicht wiedergeben darf . . .

Das Volk hatte sich verlaufen. Leer lag der Hof da. Nur der Hund und der Agent blieben zurück. Und plötzlich tritt der Hund auf den Agenten zu und wedelt mit dem Schwanze. Und jetzt wurde auch dieser bleich und fiel vor dem Wunderhund in die Knie.

„Beißen Sie mich, Genossin!" schluchzte er. „Ich bekomme für euren Hundefraß drei Tscherwonzen im Monat und behalte zweie für mich!"

Was weiter geschah, weiß ich nicht. Auch ich suchte schleunigst das Weite.

Das Bündel

Das Mausen, meine Lieben, – ist eine ganz große Kunst! Ihr wißt's ja selbst, heute schafft man nicht so leicht etwas beiseite. Heute bedarf's dazu schon einer besonderen Findigkeit!

Und der Grund dafür ist: Das Publikum ist zu wachsam geworden. Das Publikum paßt heute wie ein Schießhund auf. Mit einem Wort, es behütet sein Hab und Gut. Eifriger als das Augenlicht! „Das Auge" – sagen die Leute – „kann man sich zu jeder Zeit von der Krankenkasse einsetzen lassen. Hab und Gut aber kehren dir, bei unserer Armut, nie wieder!"

Und das ist ja wahr!

Aus diesem Grunde muß der Dieb jetzt ein besonders kluges Köpfchen haben! Er muß ein Mann mit Verstand, Erfahrung und hervorragender Phantasie sein. Sonst wird er bei solch einem Publikum nicht satt.

Zum Beispiel hat man in diesem Herbst eine gute Bekannte von mir, Anissja Petrowa, ganz besonders schlau hereingelegt! Wenn man bedenkt, was das für ein schlaues altes Weibchen ist! Ja, dieses Großmütterchen kann dir leicht selbst manchen Kerl hinters Licht führen. Und nun, hört nur zu, man klaute ihr ein Bündel – direkt unterm Hintern weg!

Natürlich geschah's mit Verstand und Findigkeit! Das Mütterchen saß nämlich in Erwartung des Zuges im Bahnhof auf ihrem

Bündel. In Pskow war's. Der Zug sollte um Mitternacht abgehen. Das alte Weibchen war deshalb auch schon am frühen Morgen auf dem Bahnhof erschienen. Setzte sich dort auf ihr eigenes Bündel. Und sitzt also da und geht von ihrem Bündel nicht mehr herunter . . . Fürchtet halt, daß man's ihr stehlen könnte.

Großmütterchen sitzt also und sitzt. Futtert auf dem Bündel sitzend und trinkt Wasser, das die Passanten ihr um Christi willen reichen. Die anderen kleinen Geschäfte aber – mancherlei gibt's da, wie Händewaschen, Rasieren u. a. – unterläßt das Weibchen. Ihr Bündel ist nämlich zu groß. Geht mit ihr durch keine Tür hindurch. Eben besagten Umfanges wegen. Es dazulassen aber – sagte ich schon – fürchtet sich die Alte.

Großmütterchen sitzt also und schlummert.

„Mit mir zusammen" – denkt sie – „wird man das Bündel schon nicht stehlen! So was kann mir Alten nicht passieren! Außerdem habe ich einen ziemlich leisen Schlaf . . . Ich werde gleich wach . . ."

Plötzlich fühlt sie im Halbschlaf, daß ihr jemand mit dem Knie das Gesicht streift. Einmal, zweimal und noch ein drittes Mal.

„Wie die Leute einen hier anrempeln!" denkt sich die Alte erbost. „Können nicht anständig herumgehen!"

Krächzend reibt sich das alte Weibchen die Augen blank und sieht plötzlich, wie ein fremder Mann im Vorbeigehen sein Tuch aus der Tasche zieht. Er holt sein Taschentuch heraus, und dabei fällt unversehens ein grüner Geldschein mit heraus.

Nun, das Weibchen war außer sich vor Freude. Stürzte natürlich wie ein Geier hinterdrein. Trat aber erst mit dem Fuß darauf und sah sich vorsichtig um. Dann kniete sie nieder, diese Heuchlerin, als wollte sie Gott bitten, ihr den Zug bald zu senden. Und nimmt derweil den Schein in die Faust und kehrt schon, marsch, marsch – zu ihrem verlassenen Hab und Gut zurück.

Hier freilich wird die Geschichte traurig – denn als sich Großmütterchen Anissja zurückwandte, war ihr Bündel schon futsch!

Der große Geldschein übrigens erwies sich nachher als gefälscht und war nur hingeworfen worden, um die Alte von ihrem Sitz wegzulocken. Und große Mühe hatte Mütterchen Anissja, diesen falschen Geldschein gegen anderthalb echte Rubelchen einzutauschen!

Im Nebel der Aufklärung

Genossen, jetzt weiß man doch überhaupt nicht mehr, wer des Lesens und Schreibens kundig ist und wer nicht!

Ein Mitbürger zum Beispiel kann seinen Familiennamen sogar mit einem Schnörkel unterschreiben, aber zu schreiben versteht er im übrigen nicht. Ein anderer Genosse versteht zwar zu schreiben, aber lesen, was er geschrieben hat, kann er ganz und gar nicht. Ja, und nicht nur er selbst kann das Zeug nicht lesen. Geben Sie es einem gelehrten Professor – auch der wird es nicht entziffern können. Trotz seiner Gelehrtheit! Eine Schrift ist das – als ob ein Huhn übers Papier gelaufen wäre!

Also, teure Genossen, wozu würden Sie nun solche Mitbürger rechnen? Sind sie Ihrer Meinung nach des Lebens und Schreibens kundig oder nicht? Die einen sagen: ja. Die anderen sagen: nein! Da kenn sich einer aus!

Oder nehmen wir zum Beispiel Wassilij Iwanowitsch Goloweschetschkin. Er weiß selbst nicht, ob er des Lesens und Schreibens kundig ist oder nicht. Der arme Mensch hat sich, kann man sagen, ganz im Nebel der Aufklärung verirrt.

Unser Vorstand hat ihn einmal fast totgeschlagen dafür. Waren es doch nur noch zwei Tage bis zur endgültigen Liquidierung des Analphabetentums. Zum ersten Mai war uns anbefohlen worden, im ganzen Kreis das Analphabetentum zu liquidieren. Zwei Tage vorher aber kommt Wassilij Iwanowitsch in den Dorfsowjet gerannt und meldet ganz außer Atem – sozusagen sei er noch des Lesens und Schreibens unkundig.

Der Vorsteher hätte ihn beinahe auf der Stelle erwürgt.

„Ja hör mal!" – schreit er – „was erlaubst du dir, du Hundesohn? Wie kommst du dazu, hier unliquidiert herumzulaufen? Jetzt, wo wir nur noch zwei Tage Zeit haben?"

Wassilij Iwanowitsch machte seine Entschuldigungen: er sei nämlich unbegabt – Fähigkeiten zu den Wissenschaften habe er sozusagen nicht.

Der Vorsitzende sagt: „Was soll ich nun" – sagt er – „mit dir, du Scheusal, machen? Im ganzen Kreis ist alle Unwissenheit liquidiert, und du allein sabotierst die Dekrete! Lauf mal" – sagt er – „schnell zum Bildungskomitee, bitte sie dort hübsch höflich, – vielleicht bringen sie dir in den zwei Tagen noch schnell irgend etwas bei. Wenn sie dir wenigstens die Vokale erklären!"

Wassilij Iwanowitsch sagt: „Ach, die Vokale" – sagt er – „kann ich schon! – Wozu sie nochmals lernen! Tut einem doch bloß der Kopf weh!"

Hier hätte der Vorsitzende Wassilij Iwanowitsch am liebsten noch einmal erwürgt.

„Wie?" – schreit er. „Du kennst sie schon? Vielleicht kannst du dann auch deinen Familiennamen unterschreiben?"

„Ja!" – sagt der andere – „den Familiennamen kann ich auch . . ."

„Ja, dann bist du Hundesohn doch des Lesens und Schreibens kundig!"

„Es scheint fast so!" – meint Wassilij Iwanowitsch. „Aber was ist das schon für eine Bildung? Lächerlich!"

Nach diesen Worten rückte der Vorsitzende Wassilij Iwanowitsch zum drittenmal zu Leibe.

„Ich habe keine Instruktionen" – sagt er – „eure verschiedenen Bildungsgrade zu untersuchen, du Scheusal!" – sagt er – „du elendes! Bringst nur die Leute in Verzweiflung" – sagt er – „kurz vor den Feiertagen! Und bist dabei überhaupt kein Analphabet!"

Seitdem spielt sich Wassilij Iwanowitsch auf. Erzählt allen, daß er des Lesens und Schreibens sehr wohl kundig sei und überhaupt höhere Bildung besitze. Er könnte sogar in den Hochschulen unterrichten, aber er habe keine Lust dazu. Außerdem ließe seine Frau es nicht zu, ja, und die Kinderchen heulten und weinten und fürchteten sich, man könnte ihr Papachen in den Hochschulen totschlagen.

Na, und so lebt halt der Mann weiter mit seiner höheren Bildung. Vor einer Woche noch grämte er sich, daß er des Lesens und Schreibens nicht kundig sei, und nun ist ihm gleich gar die höhere Bildung zugeflogen. Wie sagt doch das Sprichwort: Erst keinen roten Heller in der Tasche und plötzlich einen ganzen Knopf!

Der Standpunkt

Jüngst fuhr ich aufs Land. Mit der Eisenbahn. In Ljesski nahm mich Jegorka Glasow in sein Gefährt. Wir kamen bald ins Gespräch.

„Nun, wie geht's, wie steht's?“ – fragte ich Jegorka. „Ist das Volk bei euch hier im Kreis aufgeklärt?“

„Das Volk?“ – fragt Jegorka. „Ja, das Volk ist schon aufgeklärt. Warum auch nicht?“

„Nun, und die Weiber? Wie steht's mit denen?“

„Die Weiber? Ja, die Weiber sind auch aufgeklärt. Warum sollen sie auch nicht?“

„Gibt's denn viel bei euch, so aufgeklärte Weiber, mein' ich?“

„Ja, es langt!“ – sagte Jegorka. „Wenn schon – um die Wahrheit zu sagen . . . nein, eigentlich nicht so arg viel. Ziemlich wenig sogar . . . Fallen einem nicht direkt in die Augen . . . Eine war ja hier im Kreis . . . Aber auch die wird vielleicht bald sterben . . . Sicher ist's freilich noch nicht . . .“

„Was ist denn mit der?“

„Ja so . . .“, sagte zögernd Jegorka. „Ihr Mann nämlich ist ein fuchsteufelswilder. Klopow mit Namen, Wassilij Iwanowitsch Klopow. Ein Raufbold mit einem Wort. Greift bei jeder Gelegenheit zum Knüppel. Und prügelt gerne!“

„Nun, und sie? Schweigt sie dazu?“

„Die Katharina? Warum schweigen? Die schweigt nicht. Sie sagt: ‚Das ist ungesund' – sagt sie. ‚Sie, Wassilij Iwanowitsch' – sagt sie – ‚schmeißen Sie gefälligst mit kleineren Holzscheiten um sich! Die Zeiten' – sagt sie – ‚sind jetzt andere!'"

„Sie sollte mal lieber in den Sowjet gehen . . ."

„War sie ja, war sie ja . . . Dort sagte man ihr: ‚Das ist gut, Mütterchen, daß du gekommen bist! Das Frauenrecht' – sagen sie – ‚ist einer der drei Hauptpunkte unserer Arbeit. Laß dich, mein Täubchen, von diesem deinem Eisenklopfer scheiden – und die Sache ist erledigt!' Sie aber wollte nicht. ‚Ich wart' noch lieber' – sagt sie – ‚ein Weilchen! Habe keine große Lust' – sagt sie – ‚mich scheiden zu lassen . . .' Sie trug es also weiter in Geduld, trug's, so gut es ging – und fuhr endlich in die Stadt. Und bringt von dort Pillen heim. Eine nimmt sie selbst, und die andere mischt sie ihm ins Essen. Er aber setzt ihr noch mehr zu und prügelt die Arme wie nur je. Die Pille wirkte eben nicht bei ihm. Darauf mischte sie ihm gleich zwei Pillen auf einmal unters Essen und nahm selbst zweie ein. Aber es half alles nichts! Da hat sie dann eben sechs auf einmal genommen – und da kippte sie natürlich um. Und liegt jetzt noch schlimm darnieder. Ach! zu schad ist's um das kluge Weibchen! Und was die Hauptsache ist: Es war die einzige Aufgeklärte im ganzen Kreis! Und jetzt stirbt sie womöglich noch!"

„Na, und die anderen Weiber" – fragte ich – „sind denn die noch unwissender?"

„Die anderen, ja, die sind noch weniger aufgeklärt!" – sagte Jegorka. „Die anderen sind ganz und gar unwissend . . . Die eine hat nach einer Rauferei den Mann bei Gericht verklagt. Das Bäuerlein wurde gleich ins Verhör genommen und zu fünf Rubel Strafe verurteilt. Fünf Rubelchen und nicht weniger. Soll heißen: Rauf nicht, du alter Lump! . . . Na, und jetzt heult das Mütterchen und jammert. Wo soll sie das Geld denn hernehmen? So ein blödes, unwissendes Weibsbild . . . Und eine andere Dumme ließ sich scheiden . . . Der Mann ist froh, sie los zu sein – es ist Winterzeit –, und sie hungert . . . So ein dummes Weibsbild, so ein dummes!"

„Schlimm ist das!" – sagte ich.

„Freilich ist's schlimm!" bekräftigte Jegorka. „Die Männer bei uns wissen alle Bescheid, verstehen alles, sind ja aufgeklärt . . . die Weiber aber sind tatsächlich ein wenig in der Aufklärung zurückgeblieben."

„Schlimm ist das!" – sagte ich noch einmal und schaute mir Jegorkas Rücken an.

Es war ein schmächtiger, zerlumpter Rücken. Die gelbe Futterwatte hing in Fetzen am Rock.

Die Zuchthausstrafe

Ach, es ist schon eine Zuchthausstrafe – heute ein Fahrrad zu besitzen!

Es ist natürlich wahr: Man hat auch seinen Riesenspaß daran, und sportliche Bewegung und vieles mehr. Einen Hund zum Beispiel kann man anfahren. Oder ein Küchlein erschrecken. Trotz alledem verzichte ich lieber aufs Fahrrad. Ich bin nämlich durch meine eigene Fahrmaschine zu Schaden gekommen.

Ich habe mich sozusagen überhoben. Und kuriere mich ambulatorisch. Ja, vielleicht bin ich jetzt zeitlebens ein Invalide.

Das eigene Fahrrad hat mich zugrunde gerichtet. Die Sache ist nämlich die: Man kann sein Rad auch nicht für zwei Minuten allein stehen lassen – schon ist's geklaut! Infolgedessen mußte ich die Maschine immer mit mir herumtragen, wenn ich nicht fahren konnte. Auf den Schultern! Es kam vor, daß ich in einen Laden ging und das Publikum mit den Rädern hinter den Ladentisch jagte. Oder etliche Stockwerke mitsamt dem Rad zu Bekannten raufstieg. In dringenden Angelegenheiten! Oder auch zu Verwandten.

Ja, und sitzt du bei Verwandten – dann hältst du krampfhaft die Lenkstange fest. Weiß man denn, wie solche Verwandten aufgelegt sind? Ich jedenfalls weiß es nicht. In ein fremdes Herz kann man nicht reinschauen! Drehen dir noch womöglich das Hinterrad ab oder nehmen den Schlauch heraus und sagen später: Es war ja schon so!

Kurzum, es war ein Hundeleben!

Es bleibt auch dahingestellt, wer öfters auf wem fuhr. Ich auf dem Rad oder das Rad auf mir. Einige Vorkriegsradfahrer natürlich ließen anfangs das Rad auf der Straße stehen und schlossen es mit allen Schlössern ab. Vergebens – es wurde mitsamt den Schlössern gestohlen.

Man muß also heute die Lebensauffassung der übrigen Mitbürger in Betracht ziehen und das Rad immer mit sich herumtragen.

Einem Menschen von gesunder Körperverfassung macht das natürlich keine großen Schwierigkeiten. In meinem Fall aber waren die Umstände gegen mich!

Ich brauchte nämlich für eine dringende Sache einen Rubel. Zur Seelenerheiterung, – genauer gesagt: zum Versaufen!

Irgendwo – dachte ich mir – werde ich mir den Rubel schon verschaffen!

Ich habe ja zum Glück ein Rad – setzte mich drauf und fuhr los. Ich fuhr zu einem Freund. Geld war dort zwar keines vorhanden, aber der Freund war wenigstens zu Hause. Er wohnte im dritten Stock, dafür der nächste in einem anderen Hause im siebenten. Ich keuchte mit der Maschine rauf und runter und noch einmal treppauf und treppab und ließ die Zunge hängen.

Danach fuhr ich zu einer Verwandten. Zu meiner leiblichen Tante. Dieser Notgroschen aber wohnt im sechsten Stock. Ich stieg mit meinem Rad die sechs Treppen rauf. – Schaue, – an der Tür hängt ein Zettel: „Ich bin in einer halben Stunde wieder da!“

Treibt sich wieder herum – dieser alte Drachen! – denk’ ich mir. Und darüber war ich so verstimmt, daß ich im ersten Eifer wieder hinunterstieg. Ich hätte mit meinem Rad gescheiter oben warten sollen. In der Verwirrung der Gefühle aber war ich, wie gesagt, abwärts gestiegen, um unten auf die Tante zu warten.

Sie kam auch bald und war sehr gekränkt, daß ich nicht mit ihr raufgehen wollte.

„Ich habe“ – sagte sie – „nur noch etwa zehn Kopeken bei mir. Das andere Geld ist in der Wohnung.“

Ich nehme also das Rad wieder auf die Schulter und gehe hinter der Tante drein. Und fühle dabei, daß mir der Schluckauf kommt und die Zunge zum Halse herauskriecht. Doch kam ich noch glücklich oben an. Bekam auf Heller und Pfennig das Geld. Aß auch ein bißchen zur körperlichen Ertüchtigung. Pumpte das Rad auf und ging wieder.

Kaum war ich unten, sehe ich – die Vordertür ist zugesperrt. Bei ihnen dort wird schon um sieben Uhr zugemacht.

Gar nichts sagte ich drauf, nur mit den Zähnen knirschte ich schrecklich. Knallte mir das Rad auf den Buckel und begann wieder raufzusteigen.

Wie lange ich stieg, weiß ich nicht mehr. Ich ging wie im Schlaf.

Die Tante ließ mich dann durch die Hintertür hinaus. Und lachte Tränen, die alte Kanaille. Nachher freilich hörte sie auf zu lachen – ich war ja weiß wie die Wand. Und hielt mich taumelnd an der Lenkstange fest.

Ich kam schließlich noch auf die Straße. Aber fahren konnte ich vor Schwäche nicht.

Und jetzt leide ich an den Folgen dieser Zuchthausarbeit! Doch tröste ich mich mit dem Gedanken, daß es den Motorradfahrern noch schlechter geht. Die haben was auszuhalten!

Es ist auch gut, daß man sich bei uns noch nicht die Zeit genommen hat, Wolkenkratzer zu erbauen. Wieviel Menschen sich dann erst legen müßten?

Das Spinnennetz

Man sagt: Das Geld sei die stärkste Macht in der Welt! Unsinn! Dummes Zeug! Das haben nur die Kapitalisten in ihrer Selbstverblendung ausgedacht!

Es gibt auf der Welt noch eine stärkere Macht als Geld! Mit zwei Worten ist das natürlich nicht zu sagen. Es bedarf dazu einer ganzen Geschichte. Hier ist sie. Der sehr qualifizierte Metallfacharbeiter Iwan Borissowitsch Lewonidow hat sie mir erzählt.

„Ja, teurer Genosse“, sagte Lewonidow, „es gibt Sachen auf der Welt – die kannst du glatt ins Büchlein schreiben!

Es erschien ein gewisser Jegorka Drapow bei uns im Werk. Ein Mordskerl! Mit blondem Schnurrbärtchen und schiefem Blick! Die Nase – wie ein Perlmutterknopf!

Aber eine Karriere machte er, sage ich dir. Steigt eine Dienststufe nach der anderen hoch, wird zur leichteren Arbeit bestimmt und steckt den höchsten Lohn ein.

Der Werkmeister begrüßt ihn mit Handschlag und lächelt ihm freundlich zu. Ja, einmal spießte er diesem Jegorka Drapow im Vorbeigehen sogar den Finger in die Rippen. Aus Scherz!

Wir Arbeiter machten uns natürlich Gedanken darüber: wieso und weshalb und für welche besonderen Fähigkeiten der Kerl befördert wird, und gingen schließlich zum Ingenieur Firs.

‚Liebes Väterchen!‘ – sagen wir – ‚wir bitten dich untertänigst, dem Werkmeister auf die Finger zu klopfen, daß er nicht wieder seinen Liebling Jegorka Drapow befördert. Und ihn nicht mehr kitzelt im Vorbeigehen!‘

Zuerst erschrak natürlich der Ingenieur und dachte, daß man ihn aufs Glatteis locken wolle, dann aber sagte er erfreut: ‚Verlassen Sie sich darauf, Genossen! Dem Meister werde ich auf die Finger sehen, und den Jegorka Drapow werde ich in eine andere Abteilung versetzen!‘

Es vergeht ein Monat. Das Wetter ist ausgezeichnet. Die Winde wehen von Süden. Der Favorit Jegorka Drapow aber macht währenddessen eine geradezu märchenhafte Karriere.

Nicht nur der Werkmeister, auch der Ingenieur lächelt ihm jetzt freundlich zu und drückt ihm die Hand.

Die Arbeiter sagten: Ach! und ich sagte es auch. ‚Gibt’s denn‘ – denken wir – ‚keine Gerechtigkeit mehr auf der Welt!‘

Eine kleine Gruppe ging darauf zum roten Direktor Iwan Pawlowitsch.

‚Ich werde mir‘ – sagt der Direktor – ‚den Meister und den Ingenieur vornehmen und Jegorka Drapow, den Hundesohn, zum

Teufel jagen! Geht nur, Brüderchen, und reduziert mir nicht die Produktion!'

Es vergeht wieder ein Monat. Jegorka Drapow blüht wie der Klatschmohn im Garten. Man verwöhnt und liebkost ihn und drückt ihm in edlem Wettstreit das Händchen. Der Direktor drückt es, der Ingenieur drückt es, und der Meister kitzelt ihn neckisch im Vorbeigehen.

Die Arbeiter gingen in hellen Haufen zum Betriebspressekorrespondenten Nastjin. Beklagen sich bei ihm.

‚Du bist unser goldenes Köpfchen, Betriebskorrespondent! Wir haben dich beschimpft und sogar die Pest genannt, weil du die Beschwerden in die Zeitung bringst . . . Verzeih uns jetzt und sei uns nicht böse. Schaff uns diesen Jegorka Drapow vom Halse!'

‚Schon gut!' – sagte Nastjin. ‚Dem können wir abhelfen. Gebt mir nur ein wenig Zeit: Ich will mir mal genau anschauen, wieso und weshalb der Kerl befördert wird. Ich werde ihm dann schon den Garaus machen – seid unbesorgt!'

Wieder vergeht ein Monat. Die Winde wehen von Süden. Die Schmetterlinge tanzen, und die Vöglein jubilieren in den Lüften. Und Jegorka blüht wie ein Jasminstrauch im Garten! Sogar der Betriebskorrespondent Nastjin klopft ihm im Vorbeigehen freundschaftlich auf die Schulter.

Da versammelte sich die ganze Arbeiterschaft zur Beratung. Wir redeten und redeten uns die Zungen wund und kamen doch zu keinem Resultat . . . Schließlich melde ich mich zum Wort. ‚Brüderchen' – sage ich – ‚ich habe als erster diese Schlange entdeckt, ich werde sie auch vernichten. Gebt mir nur Zeit!'

Am nächsten Tage gehe ich leise in Jegorkas Abteilung hinüber und stelle mich unbemerkt hinter die Tür. Der Werkmeister macht gerade Feierabend, und Jegorka Drapow geht ihm mit Schmeicheleien um den Bart und hält ihm höflich die Mütze hin.

‚Erkälten Sie sich nicht, Iwan Sawitsch. Das Wetterchen' – sagt er – ‚ist ganz scheußlich heute!' Und der Meister klopft Jegorka auf die Schulter und lacht. ‚Jegorka' – sagt er – ‚ich sehe, du liebst mich wirklich, du Hundesohn!'

Und Jegorka antwortet mit schuldiger Ehrfurcht: ‚Sie, Iwan

Sawitsch' – sagt er – ,sind wie ein leiblicher Vater zu mir! Und Sie sind zudem' – sagt er – ,ein ganz ausgezeichneter Meister! Und im Aussehen' – sagt er – ,erinnern Sie mich an mein seliges Mamachen, nur daß die kein Schnurrbärtchen hatte!'

Der Meister gab darauf Jegorka die Hand und ging seiner Wege.

Ich wollte schon hinter der Tür vortreten und machte den ersten Schritt – da kommt der Betriebskorrespondent Nastjin herein.

,Ah!' – sagt er – ,Jegoruschka, alter Freund! Weißt du' – sagt er – ,ich habe doch neulich einen Artikel für die Zeitung geschrieben! O la la!' Und Jegorka Drapow lacht: ,Ja!' sagt er – ,du schreibst ganz fabelhaft! Puschkin' – sagt er – ,und Gogol sind nichts gegen dich!'

,Dankeschön! Dankeschön!' sagt der Betriebskorrespondent. ,Das vergesse ich dir nicht! Willst du, ich lese dir den Artikel vor?'

,Ach, wozu?' – sagt Jegorka. ,Ich bin auch ohne dein Vorlesen begeistert davon.'

Sie drückten sich freundschaftlich die Hand und verließen zusammen den Raum. Ich hinterdrein. Da kommt uns der rote Direktor entgegen.

,Ah!' – sagt er – ,Jegorka Drapow! Na, Freundchen' – sagt er – ,schau mal, was ich jetzt für Muskeln habe!'

Und der Direktor krempelt seinen Ärmel auf und zeigt Jegorka die Muskeln.

,Oho!' sagt dieser – ,die haben ja mächtig zugenommen!'

,Danke, danke!' – sagt der Direktor.

Beide, der Direktor und der Betriebskorrespondent, verabschiedeten sich darauf von Jegorka.

Ich holte Jegorka auf der Straße ein, packte diesen Schuft am Arm: ,So, mein Freundchen!' – sage ich. ,Solche Spinnennetze webt Ihr also!'

Jegorka Drapow aber faßt mich freundlich unter und lacht.

,Ach, laß das!' – sagt er – ,mein Lieber! . . . Was hast du schon davon . . . Erzähl mir lieber, wie es dir geht und was das Söhnchen treibt?' ,Ein Töchterchen' – sage ich – ,ein Töchterchen . . . Es läuft schon . . .'

,Ach, ich habe die Töchterchen gern' – sagt Jegorka. ,Nicht satt sehen kann ich mich an den Töchterchen' – sagt er – ,und Spielzeug schenke ich ihnen schon immer . . .'

Wieder vergeht ein Monat. Die Winde wehen von Süden. Und Jegorka Drapow blüht wie ein Klatschmohn im Garten.

Gestern habe ich selbst im Vorbeigehen Jegorka Drapow auf die Schulter geklopft.

Hol ihn der Teufel! Wenn er auch ein Schuft ist, aber ein lieber Mensch ist er doch!"

Der Rettungsanker

Am Morgen kreisten feindliche Flugzeuge über unserem Schiff. Die ersten sechs Bomben fielen ins Wasser. Die siebente traf das Achterdeck, und das Schiff fing Feuer.

Worauf die Passagiere über Bord zu springen begannen.

Ich weiß nicht mehr, worauf ich Nichtschwimmer mich verließ, als auch ich über Bord setzte. Aber ich sprang natürlich wie die anderen ins Wasser. Und ging gleich wie ein Stein zu Boden.

Sicher wissen die Gelehrten, was da für physikalische oder gar chemische Gesetze herrschen – jedenfalls kam ich, obwohl ich, wie gesagt, gar nicht schwimmen kann, wieder an die Oberfläche. Ich tauchte auf und klammerte mich gleich an dem gabelartigen Griff von so einem Bojending fest, das aus dem Wasser ragte.

Ich halte mich also an dem gabelartigen Griff und sehe plötzlich – noch einer kommt geschwommen. Gleich mir ein Zivilist! Anständig angezogen. Sandfarbene Jacke, lange Hosen!

Ich wies auf den Griff, und auch er klammerte sich daran fest.

So halten wir uns an dem Ding über Wasser. Und schweigen. Denn zu reden gibt's ja nichts!

Übrigens fragte ich ihn, wo er beschäftigt sei, aber er gab keine Antwort. Er spie nur das geschluckte Wasser aus und zuckte die Achseln. Da wurde mir meine Taktlosigkeit – so mitten im Wasser

Fragen zu stellen – natürlich bewußt. Und wiewohl es mich brennend interessierte, ob er, wie ich, mit seiner Behörde auf dem Schiff gewesen war – oder allein –, drang ich nicht weiter in ihn.

So halten wir uns an dem Bojending und schweigen uns aus. Eine Stunde. Zwei, drei Stunden – kein Wort!

Endlich läßt sich mein Gesprächspartner vernehmen: „Da, ein Rettungsboot!"

Tatsächlich kommt ein Kutter geschwommen und fischt die Leute auf, die sich kaum noch über Wasser halten.

Wir beide fingen natürlich an zu schreien und zu rufen und mit der Hand zu winken, damit die im Boot uns sehen. Aber, ich weiß nicht warum, sie kümmern sich überhaupt nicht um uns. Sehen uns einfach nicht. Und kommen auch nicht näher.

Darauf zog ich meine Jacke aus und das Hemd und begann mit dem Hemd zu winken. Was heißen sollte: Hierher, hierher! Seid so freundlich! Kommt doch endlich hierher!

Aber das Boot kommt und kommt nicht.

Aus letzter Kraft winke ich mit dem Hemd – sozusagen: SOS! SOS! Wir ersaufen! Seid so barmherzig! Rettet unsere Seelen!

Endlich streckt sich einer im Kutter hoch und schreit durch ein Sprachrohr zu uns herüber: „He, ihr da! Tramtararam! Ihr Vollidioten! Habt ihr denn ganz den Verstand verloren! Tramtararam! – Ihr haltet euch ja an einer Mine!"

Mein Partner – das Wort hören und schleunigst Reißaus nehmen! Nichts wie weg! Schwimmt Richtung Rettungsboot!

Instinktiv ließ auch ich das Ding fahren und ging gleich wie ein Stein in die Tiefe. Also suche ich von neuem nach dem tückischen Griff und halte ihn krampfhaft fest.

Aus dem Boot rufen sie wieder durchs Sprachrohr: „He, du da! Tramtararam! Laß die Mine los! Tramtararam!"

„Brüderchen!" rufe ich zurück. „Ohne Mine bin ich ja verloren! Sacke ab wie ein Stein! Versetzt euch doch bitte in meine Lage! Holt mich doch, seid so gütig!"

Durch das Sprachrohr aber tönt's: „Wir können nicht! Tramtararam! Du Dummkopf! Deine Mine sprengt uns alle in die Luft! Du mußt hierher schwimmen! Oder wir fahren gleich ab!"

Leicht gesagt – denke ich mir –, zum Boot schwimmen! Ohne überhaupt schwimmen zu können! Und ich klammere mich krampfhaft an das verhängnisvolle Ding, daß mich keine zehn Pferde losreißen würden.

„Brüderchen!“ rufe ich, „Seefahrer, verehrte Marinegenossen! Denkt euch was aus – zur Rettung eines kostbaren Menschenlebens!“

Da endlich wirft einer vom Kommando mir ein Tau zu. Und dabei schreien alle – durch das Sprachrohr und ohne Sprachrohr: „Halt dich ruhig! Verrückter Teufel! Sonst geht die Mine in die Luft!“

Die machen mich noch ganz verrückt mit ihrem Geschrei, denke ich mir. Besser – denke ich –, ich wüßte gar nicht, daß das Ding hier eine Mine ist! Mir wäre entschieden wohler! So aber zittere ich natürlich und habe Angst. Angst vor der Mine und – beinahe noch mehr Angst – ohne Mine! Endlich bekam ich das Tau zu fassen und band es mir vorsichtig am Gurt fest.

„Los!“ rufe ich. „Zieht schon! Ihr Teufel! Euer Geschrei geht mir langsam auf die Nerven!“

Sie zogen los. Ich merke aber gleich – das Rettungstau ist zu gar nichts nütze. Mitsamt dem Tau sacke ich ab und schlucke Wasser. Schon greife ich mit beiden Händen den Meeresboden ... Plötzlich fühle ich – sie ziehen mich hoch! Ziehen mich tatsächlich hoch und aus dem Wasser und schimpfen dabei, daß einem die Luft wegbleibt. Und schreien jetzt ganz ohne Sprachrohr: „Scherereien hat man mit dir einzigem Vollidioten! Daß dich der Teufel hole! Hat man so was schon gesehen? Hält sich mitten im Kriege an einer Mine fest! Und kann außerdem nicht einmal schwimmen! Besser – du wärst mitsamt der Mine in die Luft gegangen. Wir wären von der Mine und deiner Gegenwart zugleich befreit!“

Ich schweige natürlich. Gebe keine Antwort. Denn was soll man schon Leuten zur Antwort geben, die einem das Leben gerettet haben? Um so mehr, weil ich mir meiner Schuld durchaus bewußt bin, meiner schrecklichen Unwissenheit in allen Fragen des Krieges – auch meines mangelnden Verständnisses für die Dinge der Technik ... welches mich den Griff einer Mine für weiß Gott was halten ließ. Sie hievten mich also an Bord. Ich liege da. Alle umringen mich. Auch mein Partner, sehe ich, ist schon da! Und der putzt mich ebenfalls herunter. Beschimpft mich! Sozusagen – warum ich ihn die Mine anfassen hieß. Das sei – sozusagen – ein gemeiner Bubenstreich auf hoher See. Und dafür müßte man mich glattweg zu drei bis fünf Jahren Zwangstaucherarbeit verurteilen!

Auch dem Partner erwiderte ich gar nichts. Um so mehr, da meine Gemütsverfassung sich verdüsterte, als ich entdecken mußte, daß mein Hemd fehlte. Die Jacke hatte ich an, aber das Hemd war weg! Ich wollte schon den Kapitän bitten, noch eine Runde mit seinem Kutter zu drehen und Ausschau nach meinem Hemd zu halten. Aber als ich in das finstere Gesicht des Kapitäns blickte, sank mir der Mut.

Aller Wahrscheinlichkeit nach habe ich das Hemd auf der Mine gelassen. Und wenn dem so ist – ist das Hemd natürlich futsch!

Häuser und Menschen

Ich habe beschlossen, ein kleines Feuilleton über die Häuser zu schreiben, die gegenwärtig für unseren Wohnungsbau aufgeführt werden. Immerhin hocken die Menschen den größten Teil ihres Lebens zu Hause herum. Und so sei es mir schon aus dem Grunde gestattet, die Aufmerksamkeit der Öffentlichkeit auf dieses keineswegs unwichtige Problem zu lenken.

Ich will in Kürze von dem Haus erzählen, in dem ich – wie man so sagt – das Glück habe, meine Tage zu verbringen.

Das Haus also, in dem ich zur Zeit wohne, ist ein solides Gebäude neuester Bauart. Und in architektonischer Hinsicht – ein sehr interessantes Werk. Es ist mit Sorgfalt und nicht ohne Liebe erbaut. Jede Wohnung hat ihren Balkon. Die Fenster sind groß und breit, und die Sonne kann ungehindert mit ihren Strahlen in die winzigen, gemütlichen Wohnungen dringen. Überall Badezimmer und Müllschlucker. Die Treppe ist vollends sympathisch – nur bedauerlicherweise ein ganz klein wenig zu schmal. So daß man Klaviere zum Beispiel durch die Fenster befördern muß. Ein Umstand, der nun seinerseits bis zu einem gewissen Grad der musikalischen Kultur abträglich ist.

Unser Komponist, der die Wohnung im fünften Stock gemietet hat, litt unaussprechliche Qualen, als man das Instrument seiner Schöpferkraft an einem Seil hochzog.

In der Tat erschien das irgendwie unnatürlich – zumal ein lautes Geschrei anhob, als man das Musikinstrument mit einem Flaschenzug hochwand. Und noch mehr Achs und Ohs erfüllten die Luft, als man das schwebende Fortepiano durch die Fensterrahmen zwängte. Das war geradezu ein musikalisch-dramatischer Moment!

Aber die Prozedur wurde erfolgreich abgeschlossen – was wiederum dem Architekten des Hauses alle Ehre macht, der in weiser Voraussicht berechnet hatte, daß kleinere Fenster das Ende aller Komponisten bedeuten würde.

Jedenfalls wurde das Klavier heil und glücklich in die Wohnung gebracht. Und der Komponist fing gleich an, darauf zu klimpern. So daß die Mieter aus dem vierten Stock im Galopp, hopp, hopp! zum Hausverwalter gerannt kamen, um sich zu beschweren. Sozusagen: die Hellhörigkeit sei gar zu erstaunlich!

Sind unmusikalische Menschen – diese Mieter des vierten Stockwerks! Banausen! Man denke sich nur: Klavierspiel stört sie! Sie wollen keine Musik hören! Wo ich doch zum Beispiel ganz klar und deutlich vernehme, wie in der Nachbarwohnung die Katze niest. Und ich laufe darum nicht gleich weiß Gott wohin, mich über die Töne zu beschweren. Zumal ich sehr gut verstehe, warum das Kätzchen niest. Wie soll es auch nicht! Die Fensterrahmen bei uns sind schief, die Türen krumm, und auch durch die Ritzen des Parkettbodens zieht es. So hat sich eben das Tierchen verkühlt und niest halt! Wenn es warm wird, im Frühling, wird das Tierchen schon mit dem Niesen wieder aufhören! Aber das sind alles unbedeutende Kleinigkeiten! Kinkerlitzchen! Und nicht auf solche architektonische Nichtigkeiten war das Hauptaugenmerk unseres

Architekten gerichtet. Sein Hauptziel war – so müssen wir annehmen –, das Gebäude möglichst formschön zu gestalten.

Nun, in künstlerischer Hinsicht ist unser Haus sogar wunderhübsch. Es sind da so verschiedene Stuckverzierungen: Blumengirlanden und Kringelkreise. Und das schmeichelt natürlich dem betrachtenden Auge. Unter den Blumengirlanden sind sogar Pferdeköpfchen modelliert. Und auch diese von Zeit zu Zeit anzuschauen ist nicht uninteressant.

Außerdem ragen – ich weiß nicht warum – vom dritten Stockwerk ab zwei Säulen nach oben. Und kosten nix – wie man so sagt. Im Grunde genommen sind die beiden Säulen überflüssig. Denn die Bestimmung einer Säule ist doch, irgend etwas zu stützen. Diese beiden scheinen aber nichts dergleichen zu tun. Um ganz genau zu sein – so ist es eher das Haus, das die Säulen trägt. Aber auch das ist gut! So fällt die antike Kunst nicht herunter! Denn wenn solch ein Säulenkoloß herunterfiele . . . dann – danke schön! – für alle griechische Architektur!

Aber schon drei Jahre geht alles gut und glücklich – was aufs neue beweist, wie ausdauernd und haltbar bei uns die hellenische Kunst ist.

Besonders originell ist unser kleiner Hof erbaut. Auch – wenn Sie wollen – im hellenischen Stil. Doch schon etwas Römisches ist hier spürbar. Zuweilen erinnert er mich an römische Bäder oder pompejanische Innenhöfe – für Haushaltungszwecke!

Der kleine Umfang des Höfchens hat den Architekten in seinem Streben nach Außergewöhnlichem keineswegs gehindert. In der Mitte des Hofes steht ein großer Brunnen. Ein Bassin! Und in dessen Mitte eine weibliche Gipsfigur! Mit Krug natürlich! Und all das sieht man ganz gerne, wenn man abends mit einem kleinen Schwips durch den Hof nach Hause schlendert.

Nein, nein! In künstlerischer Hinsicht hat unser Architekt sein Maximales gegeben. Auch etwas weniger hätte vollauf genügt! Wenn man nämlich bedenkt – daß der größte Schmuck des Hauses die Menschen sein sollten, die es mit ihrem modernen Leben erfüllen.

Kurzum und grundsätzlich betrachtet, erscheint es uns als

Minuszeichen, daß unsere Architekten, indem sie moderne Wohngebäude aufführen, sich immer wieder – und ich weiß nicht warum – auf die griechische Antike besinnen! Immerhin ist's – Gott sei Dank – nicht das alte Ägypten. Mit seinen Pyramiden!

Der letzte Verdruß

Dieses Mal gestatten Sie mir, einen dramatischen Vorfall aus dem Leben eines Verstorbenen zu erzählen. Weil die Geschichte auf Wahrheit beruht, so werden wir uns in unserer Erzählung aller Späßchen und Witzchen enthalten, um die lebend Verbliebenen nicht zu kränken.

Weil indes die Geschichte bis zu einem gewissen Grade recht komisch ist und das Gelächter – wie man so sagt – ganz von alleine losplatzen kann, bitten wir im voraus den Leser um Verzeihung – für die unbeabsichtigte Pietätlosigkeit gegen Lebende und Tote.

Freilich hat der Vorfall eigentlich gar nichts Komisches an sich. Im Gegenteil: Ein Mensch war gestorben. Ein kleiner Arbeiter nur, eine ganz und gar unbedeutende und unscheinbare Person – im strahlenden Glanz unserer Tage. Und wie das so oft der Fall ist, gingen nach seinem Tode die schönsten Reden los, die üppigsten Nekrologe. Sozusagen: Er starb in den Sielen! Ach! Welch ein Verlust! Das war ein Mensch! Wie jammerschade, Freunde, daß er von uns ging!

Nun, versteht sich, bei seinen Lebzeiten hat ihm niemand so Originelles gesagt! Nein, er hatte seinen letzten Weg angetreten, ohne auch nur im geringsten zu ahnen, wie er sich in der Phantasie seiner Mitmenschen spiegeln würde. Es bleibe dahingestellt, wie sich diese Phantasie geäußert hätte, wenn er nicht gestorben wäre. Dieselben Mitmenschen hätten ihm vielleicht – wie man so sagt – die Kinnladen eingeschlagen. Weil er indes sich still davongemacht hatte, kam er auf einmal zu ungeahnten Ehren.

Einerseits, Freunde, ist es wirklich herrlich, so zu sterben! Andererseits: Merci! Danke schön! Lieber nicht! Wir werden eure gefühlvolle Dankbarkeit zu entbehren wissen!

Kurzum: In dem Betrieb, in dem er gewerkelt hatte, fand nach der Arbeit zu seinem Gedenken eine Versammlung statt, in der verschiedene rührende Episödchen aus dem Leben des Toten erzählt wurden.

Selbst der Direktor ergriff das Wort. Und kraft seiner großen Redekunst gestaltete er seinen Nachruf so überaus gefühlvoll, daß ihm selbst die Tränen kamen. Und so, unter Tränen, zollte er dem Toten das allerhöchste Lob. Woraufhin die Gemüter ins Kochen gerieten. Ein jeder mühte sich, wetteifernd zu beweisen, daß er einen wahren Freund, Bruder, Vater oder Lehrmeister verloren habe.

Plötzlich rief einer aus der hintersten Reihe kreischend, man müsse das Begräbnis möglichst prächtig gestalten – schon um den Arbeitseifer der übrigen Angestellten anzuspornen.

„Sehr richtig!“ sagten alle. Und der Direktor fügte hinzu: „Und wenn der Verband die Wände hochsteigt – das Begräbnis geht auf Staatskosten!“

Dann erhob sich noch einer von seinem Platz und meinte, daß man solch bemerkenswerten Menschen überhaupt mit Musik und nicht etwa stillschweigend durch menschenleere Straßen zu Grabe tragen müsse.

Hierauf stand, sich die Tränen abwischend, ein Verwandter des Toten auf, genauer gesagt, sein leiblicher Neffe, ein gewisser Koljessnikow. „Herrgottchen!“ begann er seine Rede. „Wieviel Jahre wohne ich nicht schon mit meinem Onkel in der gleichen Wohnung – ich will nicht sagen, daß wir uns täglich stritten – jedenfalls lebten wir aber nicht gerade in Frieden. Und das, weil ich ja gar nicht wußte, was ich für einen Onkel besaß. Jetzt, aus euer aller Reden, wird es mir erst klar! Und jedes hier gesprochene Wort tropft wie glühendes Erz auf mein wundes Herz! Ach, warum habe ich nur meinem Onkelchen nicht das Leben leichter und gemütlicher gemacht! Bittere Reue wird mich mein Leben lang quälen! Nein! Ich will es mich nicht verdrießen lassen, ich will den weiten Weg zu einem mir bekannten ausgezeichneten Blasorchester aus sechs Bläsern und einer Trommel nicht scheuen. Und wir wollen dieses Orchester bitten, meinem Onkelchen etwas Besonderes aufzuspielen!"

Alle sagten: „Jawohl! Bestelle du das Blasorchester! Damit machst du dein schnödes Benehmen dem Onkel gegenüber zum Teil wenigstens wieder gut!"

Kurzum: Nach zwei Tagen fand das Begräbnis statt. Es gab eine Menge Kränze und einen riesigen Menschenauflauf. Die Musik spielte nicht schlecht und zog natürlich die Aufmerksamkeit aller Passanten auf sich. Immer wieder wurde gefragt: Wer wird da zu Grabe getragen? Der Neffe selbst lief, während der Leichenzug durch die Straßen zog, nach vorne zum Direktor und flüsterte ihm zu: „Das bestellte Blasorchester verlangt, daß es sofort nach der Beerdigung bezahlt wird, weil sie nämlich gleich auf Tournee gehen, nach Staraja Russa. Wie wollen Sie es nun machen?"

Der Direktor sagte: „Ja, bezahlst denn du nicht allein das Orchester?"

Darob verwunderte sich der Neffe und erschrak nicht wenig. Und meinte gleich: „Aber Sie haben es doch selber gesagt, daß die Beerdigung auf Staatskosten geht. Ich bin ja nur gelaufen, um das Orchester zu bestellen! Nichts weiter!"

„So, so!" sagte der Direktor. „Aber die Musik ist in unserem Kostenvoranschlag gar nicht vorgesehen. Und im Grunde genommen ist doch nur ein unbedeutender kleiner Mensch gestorben. Wir aber – bumm-di-bumm! – haben ihm eine ganze Trauermusik bestellt! Nein, nein! Darauf lasse ich mich nicht ein! Da steigt mir ja der ganze Verband auf den Kopf!"

Und die, welche mit dem Direktor in einer Reihe schritten, meinten auch: „Schließlich kann doch der Betrieb nicht für jeden Verstorbenen eine Trauermusik zahlen! Ist doch schon übergenug, daß man für den Trauerwagen, den Leichenschmaus und allen übrigen Beerdigungskram aufkommt! Fürs Orchester zahlst du selbst! Ist ja auch dein Onkelchen!"

„Ihr seid wohl verrückt!" erwiderte der Neffe. „Wo soll ich denn die 200 Rubel hernehmen?"

Der Direktor: „Dann tu dich mit deiner ganzen Verwandtschaft zusammen. Ihr werdet das Geld schon zusammenkratzen!"

Der Neffe, ganz außer sich, lief im Trauerzug zur Witwe des Verstorbenen und meldete ihr das Vorgefallene. Die Witwe schluchzte gleich noch lauter auf. Und weigerte sich entschieden, auch nur irgendwas zu zahlen.

Darauf drängte sich Koljessnikow durch die mitgehende Menschenmenge bis zum Orchester durch und sagte ihnen, sie möchten das Blasen sofort sein lassen – dieweil sich gewisse Schwierigkeiten bezüglich der Bezahlung ergeben hätten und es überhaupt ganz ungewiß sei, wer zahlen würde.

Unter den Musikanten, die in Reih und Glied marschierten, entstand einige Verwirrung. Der Dirigent aber sagte: „Wir hören natürlich nicht auf! Wir spielen das Stück zu Ende und kassieren das Honorar beim Besteller!" Und mit einem Trommelwirbel schnitt er jede weitere Diskussion ab. Darauf versuchte Koljessnikow, sich noch einmal bis zum Direktor durchzuschlagen. Jener aber, um weiteren Unannehmlichkeiten auszuweichen, setzte sich in sein Auto und entschwand.

Das Laufen und Drängen des Neffen rief im Leichenzug einige Unruhe hervor. Noch mehr bestürzte die Anwesenden die Abfahrt des Direktors und das laute Wehklagen der Witwe. Erregtes Geflüster flog hin und her. Zumal jemand das Gerücht verbreitet hatte, daß man den Direktor ganz plötzlich wegen allgemeiner Lohnsenkungen abberufen hätte.

So kam der Leichenzug in vollkommener Unordnung am Friedhof an. Das Begräbnis selbst fand ganz unfeierlich in größter Eile und ohne Reden statt. Danach gingen alle unzufrieden auseinander. Und einige schmähten sogar den Toten, indem sie das eine oder andere aus seinem kleinen, nichtigen Leben erzählten.

Anderntags wurde der Neffe des toten Onkels dem Direktor derart lästig, daß dieser, um ihn loszuwerden, versprach, die Musikfrage mit dem Verband zu besprechen. Er meinte aber gleich, daß die Sache kaum durchgehen würde, denn es sei schließlich Aufgabe des Verbandes, sich um die Lebenden zu kümmern und nicht den Toten eins aufzuspielen.

So oder so – Koljessnikow hat jedenfalls vorerst mal seinen dicken Flauschmantel verkaufen müssen, um sich die Orchestranten vom Hals zu schaffen, die in der Tat vor nichts zurückgeschreckt wären, um zu dem Ihrigen zu kommen.

Seinen Mantel verkaufte der Neffe um 260 Rubel. So daß nach der Abrechnung mit dem Blasorchester ihm noch – als Rest vom Schützenfest – 60 Rubel übrigblieben.

Für diese sechzig aber säuft jetzt der Neffe seines Onkels bereits den dritten Tag. Angetrunken kam er zu mir und erzählte mir, sich die Tränen mit dem Ärmel abwischend, von seinem großen Verdruß, der für ihn gewiß nicht der letzte gewesen ist.

Für den Onkel aber war die kleine Unannehmlichkeit bestimmt die letzte. Was auch gut ist!

Das Teufelsspielzeug

Ich gehe Kinderspielzeug kaufen. Der Verkäufer stellt mir auf den Ladentisch ein plattes Ungetüm, das an ein Roß erinnert.

„Hier, ein Pferdchen!“ sagt der Verkäufer unsicher und schiebt mir das Stück buntbemalter Furnierplatte zu. (Das Furnierholz stammt sicher noch aus dem Fenster, das nach Beendigung der Ausbesserungsarbeiten wieder eingeglast ist.)

„So? Ein Pferd? Kauft man bei Ihnen denn solche Pferdchen!“ frage ich und blicke erstaunt auf das plumpe, rohe Holzding.

„Ungern! Mit Heulen und Zähneklappern – wie man so sagt!“ erwidert der Verkäufer. „Aber es wird natürlich gekauft!“

Ich schaue mir das Roß näher an. Wahrlich, Grund genug zum Heulen! Ausgesägt ist das Tier bis zur Unkenntnis schlecht. Das Maul – ganz schartig! Der Roßschweif – wie ein angesengtes Holzscheit! Zwei Beine statt ihrer vier – dafür um so dicker! Und das ganze Pferd erscheint wie von der Hand eines sechsjährigen Buben aufgezeichnet!

„'s ist natürlich kein Traber!“ sagt der Verkäufer und geniert sich offensichtlich für sein Rößlein. „Steht aber dafür auf einem Untersatz. Und Rädchen sind daran! Was schließlich den Kinderchen auch Spaß machen kann.“

Ich versuche die Rädchen – sie drehen sich nicht. Aber ich bemerke, daß vom bloßen Anfassen des Pferdchens meine Hände ganz grün werden. Färbt halt ab, das Roß!

„Nein, ich sehe schon, das Pferdchen gefällt Ihnen nicht!“ meint der Verkäufer. „Nehmen Sie doch lieber den Akrobaten. Der dreht sich auf alle Fälle. Und ist sogar um zwölf Rubel billiger als das Pferd!“

Das bekannte lustige Spielzeug: zwei Stäbchen, ein Schnürchen, darauf der Turner. Ich drücke die Stäbchen, der Akrobat hebt sich in die Höhe, macht eine Riesenwelle, überschlägt sich im Salto. Ich drücke noch einmal – der Akrobat verheddert sich im Schnürchen. Ich versuche, ihn loszumachen – da sticht etwas Spitzes, Scharfes in meinen Finger.

„Ach, das ist nur die Drahtfeder, die Sie gepiekt hat!“ sagt der Verkäufer. „Das macht nichts!“

Ich untersuche den Akrobaten. Hände und Füße sind mit einem Stückchen Balalaikasaite befestigt. Vier spitze Enden starren bedrohlich aus dem durchlöcherten Leib des Leichtathleten.

Ich forsche neugierig, wer solch ein Spielzeug auf den Markt gebracht hat. Der Verkäufer meint: „Die Fabrikmarke steht nicht drauf. Das meiste Spielzeug aber bringt die ‚Musprom‘ heraus. Nach den Musiksaiten zu urteilen, ist auch dies hier höchstwahrscheinlich ihre Produktion!“

Die Bemerkung ermangelt nicht der Logik. Der Beweis ist erbracht, der Tatbestand erwiesen. Und der Akrobat hat sich in den eigenen Netzen gefangen oder ist, wie man so sagt, als Zeuge überführt. Jetzt stellt der Verkäufer das ganze vorhandene Spielzeug-Sortiment auf den Ladentisch: Stoffbälle, mit Sägespänen gefüllt, die natürlich nicht springen. Wattefigürchen, mit Glanzflitter überstreut. Winzige hölzerne Lastautos, von denen beim ersten Fahrversuch die Rädchen wie aufgescheuchte Spatzen fortfliegen.

„Ist natürlich nicht viel wert – das Spielzeug!" sagt der Verkäufer. „Immerhin muß den Organisationen und der Industrie Dank gesagt werden, die sich für unsere lieben Kinderchen abmühen!"

„Das Wort ‚danke'" – sage ich – „kommt in unserer Sprache aus zwei Wörtern, nämlich ‚Gnade Gott' oder ‚Gott behüte!'. Und wenn man dieser etymologischen Herkunft gebührend Achtung schenkt, bin ich sogar bereit, danke zu sagen. Oder ‚Gnade Gott' vor einer solchen Produktion!"

Als ich mich dann für die Mühe und die Umstände entschuldige und schon gehen will, hält mich der Verkäufer zurück.

„Ich kann Ihrer ‚gebührenden Beachtung' aber noch etwas Besonderes anbieten. Das weltbekannte Spiel Diabolo nämlich, das bei uns schon drei Jahre in der Auslage liegt. Sie wissen doch: Die Spule da wird in die Höhe geworfen und mit der Schnur aufgefangen!"

Ich nehme prüfend die Riesenspule in die Hand – sie wiegt an die 300, wenn nicht gar 400 Gramm. „Aber das kann doch ein Kind töten!" sage ich zum Verkäufer.

„Einen Säugling sicher!" meint der. „Aber wenn Ihr Kleiner schon von etwas soliderer Konstitution ist und gut ausgefüttert – dann kommt er mit einer Beule davon und blauen Flecken!"

Ich probiere mein Heil mit dem Spiel, werfe die Spule in die Höhe. Die Käufer im Laden nehmen im Nu nach allen Seiten Reißaus. Und der Verkäufer geht in Deckung – hinter dem Ladentisch. „Was machen Sie denn da! In aller Öffentlichkeit!"

Zu spät! Die Spule, in die Höhe geworfen, saust wie eine Bombe herab. Trifft meine Schulter. Selbst durch den dicken Wintermantel tut's weh. Ich entschuldige mich noch einmal für die verursachte Mühe und gehe aus dem Laden. Auf der Straße bemerke ich, daß nicht nur meine Hände, sondern auch der Mantel mit Farbe verschmiert sind. Aus einem Finger tropft Blut. In einem anderen steckt ein Splitter. Die getroffene Schulter tut weh.

Und es kommen mir die uralten Worte in den Sinn: ‚Oh, Kinder, Kinder – wie gefährlich sind doch eure Jahre!'

Der Kinderfreund

Wovon kann schon die Rede sein? Von den Kindern natürlich! Sie sind ja ungemein notwendig. Der Staat kann ohne sie nicht existieren. Und für uns sind sie so etwas wie – Wachablösung! Wir hoffen und bauen auf sie, und manchmal stellen wir auch gewisse Spekulationen auf. Weil wir Erwachsenen nämlich von unseren dummen, spießbürgerlichen Gewohnheiten nicht lassen können. Die Kinderchen aber, die heranwachsen, werden diese Unkultur bestimmt auswetzen. So daß wir in dieser Hinsicht die lieben Kleinen geradezu auf Händen tragen sollten und jedes Stäubchen von ihnen pusten und die Näschen ihnen putzen müßten. Ganz abgesehen davon – ob es unser Kind ist oder ein fremdes! Aber gerade das ist in unserem Leben nur selten zu sehen.

Wir erinnern uns da an eine diesbezügliche Begebenheit, die sich vor unseren Augen im Zug nach Noworossijsk abgespielt hat.

Die in unserem Wagen saßen, wollten fast alle nach Noworossijsk. Und es fuhr in dem Wagen unter anderen auch ein junges Weibchen. Eine Frau mit einem kleinen Kind. Sie hält den Kleinen im Arm und fährt mit ihm also. Sie fährt zu ihrem Mann nämlich. Alles in bester Ordnung: im Arm das Kind, auf der Bank Bündel und Reisekorb! Und in solchem Aufzug also fährt sie nach Noworossijsk zu ihrem Mann. Der Kleine auf ihrem Arm aber ist ein rechter Schreihals. Plärrt und plärrt in einem fort. Scheint krank zu sein. Gewiß hat ihn das Bauchweh auf der Reise gepackt. Entweder hat er zuviel rohes Obst gegessen oder gleich was darauf getrunken . . . Kurzum, es hat ihn unterwegs erwischt. Darum brüllt er. Mit einem Wort – ein Kind! Versteht ja noch nicht, wieso und warum und weshalb sein kleines Bäuchlein revoltiert. Wie alt mag er sein? Vielleicht zwei, allerhöchstens drei Jahre alt. Ohne eigene Erfahrung ist das schwer zu schätzen. Was aber klar zu sehen ist: er ist ein Oktoberkind. Er hat nämlich einen knallroten Brustlatz um.

So fährt also der Kleine mit seinem Mamachen noch Noworossijsk. Und unterwegs hat ihn – welch ein Ärger! – das Bauchgrimmen gepackt. Und eben darum quengelt er, will dies und will das und braucht Pflege. Und läßt natürlich sein Mamachen keinen Augenblick in Ruh'. Sie hält ihn schon den zweiten Tag im Arm. Kann kein Nickerchen tun und auch keinen Tee trinken gehen. Vor der Station Lichny nun wendet sie sich an die Mitreisenden: „Ich bitte um Verzeihung!" sagt sie. „Könnten Sie sich nicht für einen Augenblick meines Kleinen annehmen? Ich lauf' nur mal schnell in Lichny ins Bahnhofsbüfett und esse eine Suppe. Mir", sagt sie, „klebt schon die Zunge am Gaumen. Ich weiß mir sonst nicht mehr zu helfen. Ich fahre" – sagt sie – „nach Noworossijsk zu meinem Mann!"

Die Passagiere, versteht sich, geben sich die allergrößte Mühe, nicht hinzuschauen, wo die Bitte herkommt. Sie wenden sich ab: Sozusagen: Was nicht gar! Tagelang brüllt er und quengelt! Und jetzt – gib dich auch noch ab mit dem mißratenen Balg! Womöglich setzt ihn das Mamachen aus! denken die Mitreisenden. Hängt natürlich ganz von dem Mamachen ab. Manch eine ist schnell dazu bereit! Und wiewohl es dazu beileibe nicht kommen sollte und diese liebende Mutter zu ihrem Kindchen zurückkehrte, so konnten die Mitreisenden das natürlich nicht im voraus ahnen und verhielten sich deshalb der Bittenden gegenüber abweisend. Mit einem Wort: Sie sagten: Nein! Sie nehmen das Kind nicht!

Es fuhr aber im gleichen Wagen so ein städtischer Genosse. Mit Schirmmütze und Allerwelts-Gummimantel. Und selbstverständlich in Sandalen. Und dieser wendet sich folgendermaßen an die Mitreisenden: „Das ist doch . . ." sagt er. „Speiübel wird mir bei eurem Anblick! Was seid ihr denn für Menschen?" – sagt er. „Ich muß mich sehr wundern, Genossen! Wie kann man nur so gleichgültig sein? Die Mutter vor unser aller Augen kommt nicht einmal zum Essen, weil der Kleine ihr keine Ruhe läßt. Hier aber" – sagt er – „drückt sich ein jeder, Gemeinschaftshilfe zu leisten . . . Das ist geradezu eine Absage an den Sozialismus!"

Die anderen sagen darauf: „Schau du doch selbst nach dem Balg! Ist mir auch so ein Früchtchen! Avantgardistische Reden im Schlafwagen zu halten . . .“

Er aber: „Obgleich ich nur ein Junggeselle bin und verteufelt gern schlafen möchte und das da überhaupt keine Männersache ist – so fehlt mir doch jedenfalls eure Gefühllosigkeit in Kinderfragen!“ Und damit nimmt er den Knirps auf den Arm, wiegt ihn und schaukelt ihn und vertreibt ihm die Zeit mit Fingerspielen.

Die junge Frau natürlich dankt ihm auf das herzlichste und steigt auf der Station Lichny aus. Sie geht ins Bahnhofsbüfett und kommt lange nicht zurück.

Der Zug steht zehn Minuten. Nach diesen zehn Minuten wird das Abfahrtssignal gegeben. Und der Diensthabende winkt mit der roten Mütze. Sie aber ist nicht da. Schon gibt es einen Ruck, und der Zug beginnt langsam auf den Schienen zu laufen. Die junge Mutter ist nicht zu sehen.

Hierauf tut sich mancherlei im Wagen. Einige lachen frei heraus. Wieder andere wollen die Notbremse ziehen, um den Zug zum Stehen zu bringen. Der in Sandalen aber sitzt ganz bleich da. Schlafen will er gar nicht mehr. Und nach Redenschwingen ist ihm auch nicht mehr zumute. Er hält den Kleinen auf seinen Knien und hört sich die verschiedenen Ratschläge an.

Nun, die einen raten ihm, ein Telegramm auf eigene Kosten abzuschicken. Die anderen wiederum meinen: „Bringen Sie ihn nach Noworossijsk, und übergeben Sie ihn der GPU. Und wenn die dort den Kleinen nicht nehmen, dann adoptieren Sie ihn halt!“

Der Kleine mittlerweile aber quengelt und plärrt und ist nicht zur Ruhe zu bringen. So vergehen zwei elende lange Stunden, bis der Zug endlich an einer größeren Station hält. Der in Sandalen stellt den Kleinen auf die Beine und will schon hinaus auf den Bahnsteig zur GPU, als plötzlich und unerwartet die Mutter in den Wagen kommt.

„Ich“ – sagt sie – „bitte um Verzeihung! Als ich in der Eile die heiße Suppe ausgelöffelt hatte, war ich plötzlich todmüde. Und da bin ich in den Nachbarwagen gestiegen und habe dort ein Nickerchen gemacht. Ich habe doch“ – sagt sie – „zwei Tage lang nicht mehr geschlafen! Wäre ich hier eingestiegen, wäre ich kaum zur Ruhe gekommen!"

Und damit nimmt sie wieder den Kleinen auf den Arm und wartet und pflegt ihn liebevoll.

Der in Sandalen sagt: „Sie machen es sich leicht, Genossin! Aber weil Sie so dringend Schlaf brauchten, will ich es Ihnen nachsehen! Die Kinderchen" – sagte er – „sind unsere Wachablösung! Und ich" – sagt er – „habe nichts dagegen, auch mal 'ne Kinderfrau abzugeben!"

Im ganzen Wagen brach hierauf ein fröhliches Gelächter los, eine kräftige, nicht endenwollende Lachsalve. War ja auch alles gut und glücklich ausgegangen!

Hier wohnte Puschkin . . .

Vor einhundert Jahren wurde Alexander Sergejewitsch Puschkin im Duell getötet. Ganz Rußland – kann man sagen – trauert anläßlich dieses betrüblichen Jahrestages.

Am meisten aber grämt sich vor allen anderen Iwan Fedorowitsch Golowkin. Dieser liebe Mensch beginnt beim bloßen Namen Puschkin schrecklich zu zittern und schaut starr ins Leere. Und wie soll er auch nicht, Brüderchen? Hat sich doch an ihm die Schattenseite des genialen Dichterlebens unheilvoll ausgewirkt.

Aber wir müssen natürlich weiter ausholen, schon um das Andenken des erlauchten Genius nicht zu beleidigen. Fangen wir zum Exempel mit dem Einundzwanziger-Jahr an! Dann wird alles anschaulicher. Im Einundzwanziger-Jahr, im Monat Dezember, kam Iwan Fedorowitsch Golowkin, aus dem Heeresdienst entlassen, heim in sein Vaterstädtchen.

Da aber hatte gerade der NEP begonnen. Die neue Wirtschaftspolitik. Auf einmal gab's weiße Semmelchen. Und kleine Handelsgeschäftchen. Mit einem Wort: Das Leben rührte sich wieder!

Aber unser Freund Golowkin wanderte ungeachtet dessen mit wenig Erfolg durch die Stadt. Er hatte keine Bleibe und schlief bei Bekannten. Auf der Hundematte – im Vorraum. Und war aus diesem Grunde natürlich pessimistisch gestimmt.

„Der NEP" – sagt er – „ist ein kompletter Blödsinn! Ein halbes Jahr schon" – sagt er – „suche ich vergeblich eine Wohnung!"

Im Dreiundzwanziger-Jahr endlich glückte es ihm, ein Zimmer zu ergattern. Ob er nun die Ablösung bezahlte, oder war Fortuna ihm hold geworden – wie dem auch sei: Er fand etwas.

Das Zimmerchen winzig! Zwei Fenster. Fußboden und Decke natürlich. Alles da. Nichts einzuwenden!

Mit großer Liebe und Sorgfalt richtete sich Golowkin ein. Vergeudete seine ganzen Rubelchen auf neue Tapeten. Beklebte die Wände damit. Schlug Nägel ein, wie es sich gehört – damit es sich gemütlich lebe. Und wohnt fast wie der Padischah!

Die Zeit natürlich läuft weiter. Schon kommt der 97. Todestag des verehrlichen Dichterfürsten. Dann der 98.

Am 99. Todestag hoben im Hause die Reden an. Sozusagen: Puschkin, der berühmte Dichter, habe seinerzeit – heißt es – in diesem Hause gewohnt ... und damit das ganze Wohnkollektiv ... kraft seines unsterblichen Genius im vorhinein geadelt. Nicht unbillig also wäre es darum, eine kleine Gedenktafel anzubringen. Mit genauen Angaben und den Nachkommenden zur Erbauung! Iwan Fedorowitsch Golowkin setzte sich dummerweise noch mit großer Begeisterung für das besagte Täfelchen ein. Hierauf: Gerüchte im Haus, Getuschel, Gemurre! Die Damen vor allem traten zur Schlachtordnung an. Schrubbten die Kochtöpfe blank und fegten die Zimmerecken sauber.

Es kam eine fünfköpfige Kommission. Schaute sich die Zimmer an. Als sie die Unordnung in der Wohnung und überall verschiedenen Haushaltsplunder entdeckte – Kasserollen und alte Hosen an den Wänden –, da seufzte die Kommission tief bekümmert auf.

„Hier wohnte einst Alexander Sergejewitsch Puschkin!" sagte sie. „Zwei Wochen lang logierte der Dichter hier bei einem Freund! Und was sehen wir jetzt, nach einhundert Jahren? Einen kompletten Saustall! Da liegt ein Besen herum, dort hängen Hosen am Fenster, und die Hosenträger flattern als Dekor an der Wand! Das ist dem Genius und seinem Gedächtnis gegenüber geradezu eine Pietätlosigkeit!“

Nun, mit einem Wort, nach drei Wochen waren alle Mieter ausquartiert.

Golowkin – muß gesagt werden – schimpfte wie ein Rohrspatz. Er verfluchte die ganze finstere und rauhe Puschkinepoche und insbesondere den Zaren Nikolaus I. Aber auch die Gegenwart bekam von Golowkin tüchtig eins ab. Sozusagen: Warum es keine Wohnungen gäbe? Und keinen Platz zum Leben?

Iwan Fedorowitsch äußerte diese seine private Meinung ganz unverhohlen – ohne Angst vor irgendwelchen Folgen.

„Was heißt denn das“ – sagte er –, „ein Genius?! Na, wenn schon! Und wenn er tausend Verschen gedichtet: ‚Ein Vöglein hüpft auf einem Zweig!‘ Ist das ein Grund, biedere Sowjetbürger auszuquartieren? Dann muß das Wohnungsamt wenigstens Ersatz stellen oder den Umzug bezahlen!“ Golowkin wollte noch zur Verwaltung der Puschkinstiftung fahren und denen dort gehörig die Meinung sagen, nahm dann aber statt dessen die Wohnungssuche auf.

Und er sucht heute noch. Ist abgemagert und greis geworden. Und so wählerisch! Überall und immer fragt er, wer früher in dem Hause wohnte. Ob da nicht, Gott behüte, gar Demjan Bedny oder Kotschalow logiert hätten. Und wenn das tatsächlich der Fall sei – dann würde er, Golowkin, das Zimmer nicht einmal geschenkt nehmen.

Und das ist ja wahr! Es gibt da gewisse große Geister, die leben sehr leichtsinnig in den Tag hinein, wechseln alle fünf Minuten ihre Wohnung. Ziehen um.

Später aber – welch traurige Resultate!

Da braucht man gar nicht weit zurückzugehen. Selbst in unserer Gegenwart hat ein uns bekannter Poet im letzten Jahr nicht weniger als siebenmal das Zimmer gewechselt. Er kann und kann – Sie wissen es selbst – nirgends Fuß fassen. Weil er die Miete nicht zahlt!

Vielleicht ist er aber – weiß es der Teufel! – ein Genie?

Oh, und wie gram wird man ihm fünfzig Jahre später sein? Wegen dieser sieben Zimmer!

Es sei denn, daß dann die Wohnungsnot etwas abgeflaut sein wird. Das ist die einzige Hoffnung, die uns bleibt!

Das Igelchen oder Die brüderliche Gesinnung

Neulich gab es in unserer Kommunalwohnung an der Ecke der Glasowaja und Borowaja eine Keilerei. Das war nun fast schon keine Keilerei mehr, sondern eine regelrechte Schlacht. Und man raufte natürlich aus reiner Herzenslust. Dem Invaliden Gawrilow riß man fast das Köpfchen ab.

Eigentlich sind wir alle brüderlich gesinnt, wie sich das geziemt. Aber weiß der Teufel, woran das liegt . . . Das Volk bei uns regt sich wegen der kleinsten Lappalie auf. Erhitzt sich sozusagen. Und drischt dann aufeinander los wie die Berserker. Aber wie dem auch sei, von solchen ideologischen Betrachtungen wird der Kopf des Invaliden Gawrilow auch nicht eher zuwachsen!

Ereignet hat es sich folgendermaßen: Es kam eine unserer Mietgenossinnen, Marja Wassiljewna Schipzowa, um neun Uhr abends in die Kommunalküche, um ihren Primus anzuzünden. Für Teewasser und Kompressen.

Sie kommt also in die Küche. Stellt den Petroleumkocher vor sich auf den Tisch und beginnt, ihn anzuzünden. Der Petroleumkocher aber – will nicht brennen.

Sie denkt: Weiß der Teufel, warum er nun wieder nicht brennt! Ob er wohl ganz verräuchert ist? Und sie nimmt in die linke Hand einen Dochtputzer, so ein Igelchen, wissen Sie, das da gerade in der Nähe lag, und will damit den Petroleumkocher putzen. Sie will also den Docht reinigen und nimmt das Igelchen in die linke Hand -- da bemerkt eine andere Mietgenossin, Darja Petrowna Kobylina, der nämlich das Ding gehört, daß es weg ist, und sagt:

„Das Igelchen, verehrteste Marja Wassiljewna, dürfen Sie wieder an seinen Platz tun!"

Die Schipzowa fährt natürlich bei diesen Worten wie von einer Tarantel gestochen auf: „Bitte schön", sagt sie, „verschlucken Sie sich an Ihrem Igelchen! Mir", sagt sie, „ist es schon ekelhaft, Ihr Igelchen zu berühren, geschweige denn, es in die Hand zu nehmen!"

Hierauf explodierte natürlich Darja Petrowna Kobylina. Und es begann zwischen ihnen eine kleine Unterredung, sozusagen: ein Gekeife und Geschnatter!

Auf diesen Lärm erscheint der Ehemann Iwan Stepanowitsch Kobylin. So ein kräftig gebauter Mann, pausbackig sogar, aber seinerseits auch sehr leicht erhitzt. Es erscheint also dieser Iwan Stepanowitsch.

„Ich", sagt er, „arbeite nun direkt wie ein Pferd für zweiunddreißig Rubel monatlich im Kooperativ, lächle den Kunden freundlich zu und wiege ihnen die Wurst ab, und", sagt er, „für diese schwer verdienten Groschen kaufe ich mir das Igelchen . . . und werde also keineswegs fremden Personen gestatten, mein Igelchen abzunützen!"

Hierauf erhebt sich von neuem ein Lärm und eine Diskussion wegen des Igelchens. Alle Mieter natürlich kommen nach und nach in die Küche angerückt. Und erhitzen sich! Auch der Invalide Gawrilow.

„Was ist das hier", sagt er, „für ein Lärm? Und keine Keilerei!"

Nach diesen Worten ging's mit einemmal los. Die Küche aber, wissen Sie, ist sehr eng. Man kann schlecht drin raufen. Rundherum stehen Kasserollen und Primusse. Kaum Platz zum Umdrehen. Und eben da haben sich zwölf ganze Menschen hineingedrängt. Will man zum Beispiel einem in die Visage hauen – gleich trifft man drei auf einmal! Und natürlich an alles stößt man, über alles stolpert man! Nicht nur ein einbeiniger Invalide, wissen Sie, auch ein Dreifüßiger kann sich da kaum auf den Beinen halten.

Der Invalide aber, des Teufels Pfefferbüchse, hat sich ungeachtet dessen in den ärgsten Haufen hineingedrängt. Iwan Stepanowitsch, der Besitzer des Igelchens, ruft ihm noch zu: „Geh raus, Gawrilow! Schau, daß man dir das letzte Bein nicht abreißt!"

„Laß", schreit der zur Antwort, „das letzte auch zugrunde gehen! Jetzt kann ich nicht mehr weg. Mir hat man meine Ehre verletzt!"

Tatsächlich war ihm jemand in die Visage gefahren. Und da kann er natürlich nicht weg. Er muß sich rächen! In dem Augenblick aber haut ihm jemand eine Kasserolle auf den Kopf. Und der Invalide, krach, auf den Boden! Liegt da und grämt sich! Und aus dem Kopf tropft das Blut.

Irgend so ein Wichtigtuer stürzt nach der Miliz. Ein Soldat erscheint. „Versorgt euch mit Särgen, ihr Teufel!" schreit er. „Gleich werde ich schießen!"

Erst nach solchen verhängnisvollen Worten kam das Volk zur Besinnung. Stürzte davon und verkroch sich in den Zimmern.

Da haben wir den Salat! denkt es. Weshalb haben wir uns denn nur gedroschen, verehrte Genossen? Und sind doch eigentlich alle brüderlich gesinnt, wie sich das geziemt . . .

Der Schürhaken

Ein ergötzlicher Vorfall ereignete sich im vergangenen Winter in einer Behörde. Es muß vorausgeschickt werden, daß das Amt in einem separaten, nicht allzu großen Haus untergebracht war. Und dieses Gebäude, ist ferner zu sagen, war von recht altertümlicher Bauart. Ganz gewöhnliche, primitive Öfen heizten die Zimmer. Ein eigens dafür bestimmter Facharbeiter, kurzum ein Heizer, versorgte die Öfen. Er stieg mit seinem Schürhaken melancholisch von Stockwerk zu Stockwerk, legte Holz auf, stocherte im Feuer herum, drosselte die Abzugsklappen und anderes mehr – alles in der nämlichen besagten Gemütsverfassung. Bei dem gegenwärtigen Stand der Technik, bei Wasser-, Dampf- und Ölheizung, war das – man muß schon sagen – ein fast unziemlicher Anblick – ein vorsintflutliches Konterfei der barbarischen Lebensweise unserer Altvorderen.

Heuer nun, im Februar, versengte der Heizer, als er die Treppe hinabstieg, mit seinem Schürhaken ganz leicht die Beamtin Nadja R. Woran – es muß um der Gerechtigkeit willen vermerkt werden – die Beamtin zum Teil selbst schuld hatte. Sie sprang nämlich im Sturmschritt die Treppe hinauf und stieß unversehens mit dem Heizer zusammen. Dabei schob sie ihn schwungvoll mit der Hand beiseite und griff unglücklicherweise geradewegs an den Schürhaken, welcher noch ziemlich heiß, um nicht zu sagen rotglühend war.

Das Mädchen kreischte auf und begann zu wehklagen. Und auch der Heizer rief ach und weh. Im übrigen waren Handfläche und Finger der eiligen Maid nur leicht angesengt.

Nun, das ist ein kleiner, nichtiger Vorfall, kaum wert, die Seiten der zeitgenössischen schöngeistigen Literatur zu füllen. Dennoch waren die Folgen dieses Ereignisses einigermaßen erheiternd. Und sie brachten uns die folgende kleine Geschichte ein: Der Direktor der Behörde nämlich bestellte den Heizer zu sich und verpaßte ihm einen gehörigen Verweis. Er sagte: „Das ist mir was! Rennst mit deinem Schürhaken in der Gegend herum und bringst die Beamten aus der Front! Du sollst nicht gaffen und Maulaffen feilhalten, sondern besser Obacht geben. Merk dir's!“

Der Heizer, aus tiefem Herzen aufseufzend, erwiderte darauf, daß ihm für sechs Öfen im ganzen nur ein Schürhaken zur Verfügung stehe, mit dem er also von Ofen zu Ofen zu wandeln gezwungen sei. Wenn für jeden Ofen ein eigener Schürhaken vorhanden wäre, dann freilich hätte man Grund, mit ihm Händel zu suchen. Aber unter den gegebenen Umständen könne er für die Unverletzlichkeit der Beamtinnen durchaus nicht garantieren.

Dieser einfache Gedanke – pro Ofen ein Schürhaken! – leuchtete dem Direktor ein. Und da er von Haus aus weder Beamter noch Bürokrat war, begann er sofort, der Stenotypistin die Bestellorder an das Depot zu diktieren. Im Zimmer auf und ab gehend, diktierte er also: „Bei sechs Öfen und dem Besitz von nur einem Schürhaken ist es unmöglich, die Beamten vor Unglücksfällen zu bewahren. Dementsprechend wird dringend ersucht, dem Antragsteller zum baldmöglichsten Termin auszuhändigen: 5 Schür . . . ."

Aber hier blieb der Direktor stecken. Er hörte auf zu diktieren, kratzte sich hinter den Ohren und sagte zum Tippfräulein: „Teufel noch mal! Jetzt weiß ich nicht mehr, wie es heißt: 5 Schürhaken oder -häken. Zwei Schürhaken oder 3, 4 Schürhäken . . . 5 Schür . . . Fünf was? Fünf Schürhaken oder . . .?"

Die blutjunge Stenotypistin zuckte die Achseln und sagte, daß sie das Wort überhaupt zum erstenmal höre und in der Schule dergleichen zu deklinieren jedenfalls nicht vorgekommen sei.

Der Direktor ließ seinen Sekretär kommen und weihte diesen mit verlegenem Lächeln in seine Schwierigkeiten ein. Der Sekretär fing gleich an zu deklinieren: „Wer, was – der Schürhaken! Wessen – des Schürhakens! Wem – dem Schürhaken!" Als er aber zur Mehrzahl kam, stockte er und sagte schließlich, daß die Mehrzahl ihm zwar im Kopf herumspuke, aber daß er sie im Moment nicht zu nennen wüßte.

Darauf befragte der Direktor zwei Beamtinnen, aber auch die brachten keine endgültige Klarheit in die Angelegenheit.

Der Sekretär schlug vor: „Es gäbe einen vortrefflichen Ausweg! Wir schreiben ganz einfach fünf einzelne Bestellungen auf je einen Schürhaken aus! Das gibt zusammen fünf. Folglich bekommen wir auch fünf!"

Der Direktor aber fand das zu umständlich. Fünf gleichlautende Bestellzettel zu schicken – sagte er –, das sähe der Kanzlei gegenüber wie Schikane aus. Es könnte sich dort so ein abgefeimter Schurke finden, der ihm bei Gelegenheit daraus einen Strick drehen würde. Besser wäre es schon, wenn es nicht anders geht, die Akademie der Wissenschaften anzurufen.

Schon wollte der Sekretär zum Telefon greifen, doch wurde er im letzten Augenblick vom Direktor daran gehindert.

„Ach nein! Wonach sieht das aus?" Man könnte an einen

Spaßvogel von Wissenschaftler geraten, und der schreibt dir – hast du nicht gesehen – gleich ein Feuilleton für die Zeitung. Sozusagen: Der Direktor scheine von bemerkenswerter Unbildung zu sein, belästige er doch mit solchen Lappalien das hohe wissenschaftliche Institut! Nein, man müsse andere Mittel und Wege finden. Zum Beispiel wäre es gut, den Heizer noch einmal zu rufen, um das ominöse Wort aus seinem Munde zu vernehmen. Immerhin dreht sich sein ganzes Leben um nichts als Öfen. Er mußte es ja eigentlich wissen, wie es heißt: fünf Schürhaken oder ... Also holte man den Heizer, und ein jeder versuchte, ihm mit vorsichtig gezielten Fragen die ersehnte Antwort zu entlocken.

Der Heizer aber, in der Annahme, daß man ihn wieder ausschelten wolle, antwortete mürrisch und wortkarg. Sozusagen: fünf Stück seien vonnöten. Erst dann könne man sich vorsehen! Sonst müsse eben das Gericht entscheiden!

Der Direktor verlor die Geduld und fragte den Heizer geradeheraus, was denn nun vonnöten sei.

„Sie wissen es ja selbst!“ erwiderte dieser finster. Endlich, unter dem gemeinschaftlich forschenden Druck des Direktors und des Sekretärs, sprach sich der Heizer doch noch deutlicher aus. Aber es klang anders als erwartet: „Fünf Schüreisen!“ sagte er.

Hierauf wechselte der Sekretär in die juristische Abteilung hinüber und holte von da einen Beamten herbei, der sich durch die besondere Fähigkeit auszeichnete, alle wichtigen Papierchen so zu formulieren, daß die stilistischen Untiefen und gefürchteten Fangstricke geschickt übergangen würden.

Man erklärte dem Beamten die Aufgabe: die notwendige Bestellung derart auszuführen, daß einerseits das Wort Schürhaken nicht in der Mehrzahl vorkomme, das Depot andererseits fünf Stück davon ausgeben solle.

Der Beamte bekaute ein wenig den Bleistift und entwarf das Konzept: „Bis zum Gegenwärtigen mußte unser Amt, welches von sechs Öfen beheizt wird, mit einem einzigen Schürhaken auskommen. Demzufolge ergeht das Gesuch, weitere fünf Stück auszugeben, damit jeder Ofen den ihm zugehörigen Schürhaken erhalte. Zu liefern: insgesamt 5 Stück!“

Schon wollten sie dieses Papierchen ins Depot hinüberschicken, da erschien im Zimmer des Direktors ein kleines Tippfräulein und sagte, sie habe soeben mit ihrem Mamachen telefoniert, einer erfahrenen Stenotypistin von 30 Dienstjahren. Und diese habe ihr versichert, es heiße: 5 Schürhaken!

Der Sekretär sagte: „Das habe ich doch gleich gesagt! Nur durch Ihre Zweifel bin ich unsicher geworden!"

Man setzte sofort einen neuen Bestellzettel auf und schickte ihn ins Depot.

Das Komischste aber an der ganzen Geschichte: Das Papierchen wurde alsbald retourniert mit dem Vermerk des Depotverwalters: „Abgelehnt! Infolge Nichtvorhandenseins von Schürhäken im Depot!"

Schon naht der Frühling. Dann kommt der Sommer. Bis zum Winter ist's noch weit. Ums Heizen braucht man sich vorerst nicht zu sorgen! Und im Frühling denkt man gern an die alte Schulzeit zurück, auch wenn damit zuweilen leidige Examenserinnerungen verbunden sind. Was nun das bewußte Wort betrifft, so ist es in der Tat ein tückisches Wort, nur der Akademie der Wissenschaften und einer Stenotypistin mit der Erfahrung von 30 Dienstjahren vertraut.

Im übrigen ist es allerhöchste Zeit, zur Dampf- und Ölheizung überzugehen, weil solche altertümlichen Ausdrücke, die mit der Holzfeuerung zusammenhängen, bei uns langsam in Vergessenheit geraten!

Wasserspiele

Die Technik bei uns hat einen Riesenschritt vorwärts getan. Und technische Errungenschaften setzen niemand mehr in Erstaunen und Verwunderung.

Aber nichtsdestoweniger ereignen sich zuweilen Begebenheiten, die geradezu verblüffend sind. Verblüffend, weil niemand sie erwartet hat.

Kurzum – neulich hat sich folgendes begeben. Ein Moskauer Kameramann traf in dienstlicher Angelegenheit in Leningrad ein. Und stieg im Hotel Europa ab. Herrliches, gemütliches Zimmer. Zwei Betten. Mit Baderaum – versteht sich! Überall weiche Teppiche. Bildchen an den Wänden.

Und das alles verführte natürlich unseren Reisenden, Leute zu empfangen und angenehm und gesellig die Zeit zu verbringen.

Es kamen gute Freunde zu ihm, Bekannte, Verwandte. Und wie das immer so ist – einige der Besucher nützten die Gelegenheit und nahmen ein Bad. Weil doch viele in Wohnungen hausen, wo es keine Badezimmer gibt. Und in eine öffentliche Badestube zu gehen, ist nicht jedermanns Sache! Deshalb wird das traditionelle Bad nicht selten ganz und gar vergessen. Hier aber, welch eine günstige Gelegenheit: du kommst zum Freund, plauderst ein wenig, philosophierst und bist zugleich auch schon sauber abgeseift. Ist ja heißes Wasser genug vorhanden. Und ein staatliches Badelaken auch!

Eben darum sind viele Zeitgenossen hellauf begeistert, wenn sich ihre auswärtigen Freunde im Hotel einquartieren.

Nun, nach fünf Tagen war unser zugereister Moskauer wegen dieser unentwegten Badefreude seiner Freunde schon leicht verstimmt. Aber er zeigte Haltung – bis zum allerletzten Augenblick der Katastrophe.

Eines schönen Abends besuchten ihn gleich sechs Bekannte. Geplauder hin, Geplauder her – und schon bildete sich eine kleine Schlange vor dem Badezimmer.

Drei waren mit ihrem Bad schnell fertig, tranken noch Tee und gingen wieder. Die Vierte in der Reihe aber war eine alte Dame. Eine Verwandte des Zugereisten. Die badete sich außergewöhnlich lange. Und wusch sogar einiges aus ihrer Garderobe in der Wanne aus.

Die alte Dame trödelte im Bad, daß der Moskauer und die anderen Wartenden schier die Wände hochgingen. Anderthalb Stunden und mehr blieb sie drinnen. Weil sie aber die leibliche

Tante unseres Moskauers war, gestattete dieser seinen Freunden keine Ausfälle ihr gegenüber. Und als sie endlich aus dem Badezimmer kam, war es schon weit über Mitternacht.

Einer der Freunde hatte nicht länger warten wollen und war gegangen. Der andere aber, ein beharrlicher und aufdringlicher Mensch, wollte partout noch in der gleichen Nacht baden, um anderntags für irgendein besonderes Vorhaben sauber zu sein.

Er wartete also, bis die Tante das Bad verlassen hatte, wusch die Wanne aus, ließ heißes Wasser hineinlaufen und legte sich selbst auf das Sofa, um das Vollaufen der Wanne abzuwarten. Da aber geschah es, daß er vor Übermüdung einschlief. Und auch der Moskauer nickte auf seinem Diwan ein. Das Wasser trat, als die Wanne voll war, über den Rand, überschwemmte in kurzer Zeit das ganze Hotelzimmer und drang sogar in das darunterliegende Stockwerk. Weil sich aber unten nur der Speisesaal befand und dort zu dieser Zeit sich niemand mehr aufhielt, wurde die Katastrophe nicht gleich bemerkt.

Kurzum: Unsere zwei Freunde erwachten vor lauter Wasserdampf und Hitze. Wobei der Moskauer aus einem Traum gerissen wurde, in dem ihm, wie er später erzählte, gewesen war, als befände er sich bei Filmaufnahmen im Studio. Erwacht aber sah er, daß das ganze Zimmer unter Wasser stand und Pantoffeln, Zeitungen und verschiedene Holzgegenstände darin herumschwammen.

Das kochend heiße Wasser hinderte die beiden, die Überschwemmung sofort abzustellen, denn sie wagten nicht, zur Wanne zu laufen und den Wasserhahn zu schließen. Sie blieben mit angezogenen Beinen auf Diwan und Sofa hocken und hatten Angst, ihre Füße im dampfenden Wasser zu verbrühen. Dann aber erreichte, von einem herangezogenen Stuhl auf den anderen springend und balancierend, der Freund des Moskauers die Badewanne und schloß den Wasserhahn. Kaum war das geschehen – als auch schon die ganze Hotelverwaltung mit bleichen Gesichtern ins Zimmer gestürzt kam. Nachdem sie den Baderaum und die darunterliegende Etage inspiziert hatten, begannen sie gleich mit dem herbeigerufenen Ingenieur zu beraten.

Unter unseren beiden Freunden aber entbrannte ein heftiger Streit: wer nämlich an allem schuld sei und den Schaden zu bezahlen habe. Der Freund des Moskauers meinte, daß er 40 Rubel irgendwie zusammenkratzen könnte. Alles, was darüber ginge, müßte aber der Hotelgast selber zahlen, da er leichtsinnigerweise Freunden das Benützen seines Badezimmers gestattet habe. Hierauf wurde der Streit zwischen beiden noch heftiger. Und wer weiß, wie traurig noch alles geendet hätte, wäre nicht die Hotelverwaltung zugegen gewesen. Mit zitternder Stimme fragte der Moskauer: „Sagen Sie, wie hoch ungefähr werden die Schadenskosten sein?“

Der Hoteldirektor erwiderte ausweichend: „Sehen Sie, unten im Speisesaal hat es die Gipsstukkaturen an der Decke ausgewaschen, nämlich eine große antike Figur und drei Cherubime. Was natürlich die Schadenskosten um ein beträchtliches erhöht.“ Als er von den Stuckornamenten hörte, mußte der Freund des Moskauers, dem die Knie buchstäblich zu schlottern begannen, sich setzen. Und der Moskauer konnte nur noch mit bekümmertem Blick auf die Hotelverwaltung flüstern: „Und für welche Summe hat es diese Cherubime ausgewaschen?“

Sagt der Ingenieur: „So an die Achttausend, schätzen wir, wird die Reparatur alles in allem schon kosten.“

Diese Summe erschütterte den Moskauer derart, daß er sich auf den Diwan legen mußte. Sein Freund aber zeigte sich von der allerschlechtesten Seite. Er wollte, wie ein Schuft, sich auf und davon machen, wollte einfach auskneifen! Wurde jedoch von der schwachen, aber ehrlichen Hand des Zugereisten festgehalten.

Beinahe lallend fragte der Moskauer den Direktor: „Geht's nicht für zwei Tausender? Notfalls könnten Sie diese Cherubime doch weglassen? Es ist heutzutage gar nicht zeitgemäß, so was im Speiseraum zu haben!“

Darauf der Direktor: „Aber Sie regen sich ganz umsonst auf! Wozu das Feilschen? Wir haben doch, scheint's, von Ihnen gar keinen Schadenersatz verlangt!“

Als das der Freund des Moskauers hörte, schloß er die Augen. Aber der Direktor fügte hinzu: „Sie sind ja gar nicht schuld! Das

Ganze beruht auf einem technischen Fehler. Wir haben den Wasserabfluß nicht richtig berechnet!“

Und dazu hält der Ingenieur auf der Stelle einen belehrenden Vortrag: „Sehen Sie, hier oben an der Wanne ist ein Löchlein, durch das das Wasser abzufließen hat, sobald die Wanne voll ist. Und bei einer technisch fehlerfreien Konstruktion hätte das Wasser überhaupt nicht über den Wannenrand treten dürfen. Es ist aber, wie Sie gesehen haben, dem Löchlein nicht gelungen, die überschüssige Wassermenge zu schlucken. So daß wir unsererseits um Entschuldigung bitten müssen, für die verursachte Ruhestörung ... In Zukunft wird es aber so was nicht mehr geben. Wir werden es besser machen! Und solche technischen Unzulänglichkeiten dürfen in unserer ruhmvollen Gegenwart überhaupt nicht mehr vorkommen!“

Bei diesen Worten wollte der Freund des Moskauers der Hotelverwaltung und dem technischen Fortschritt auf den Knien danken, aber der Zugereiste sagte, an den Ingenieur gewandt: „Natürlich! So war's! Es konnte ja auch gar nicht anders sein. Nur sagen Sie mir, Genosse, wer wird mir den Schaden ersetzen? Meine neuen Hausschuhe sind hin. Und der Koffer ist aufgeweicht, und wer weiß, was darinnen noch alles zum Teufel ging? Dank eurem technischen Versagen?“

Sagt die Verwaltung: „Reichen Sie Ihre Aufstellung nur schriftlich ein. Wir ersetzen selbstverständlich den Schaden.“

Am nächsten Tag wurden dem Moskauer prompt 46 Rubel für den aufgeweichten Koffer ausbezahlt. Auch der Freund wollte die günstige Gelegenheit wahrnehmen und eine kleinere Summe auf Kosten der technischen Schwäche herausholen. Aber er hatte keinen Erfolg, weil er nämlich gar nicht berechtigt war, sich nachts in einem fremden Hotelzimmer aufzuhalten. So blieb dem Freund des Moskauers nichts übrig, als seinen durchnäßten Anzug auf eigene Kosten aufbügeln zu lassen.

In dem frisch gebügelten Anzug erschien er anderntags bei seinem Freund im Hotel, um endlich sein Bad zu nehmen.

Witwentrauer

Kurz vor den Feiertagen ging ich in die Molkerei, zum Fest ein Viertelchen Butter einzukaufen.

Im Laden ein schreckliches Gedränge. Nicht durchzukommen!

Ich stellte mich in die Reihe. Warte geduldig.

Rundum vollführen die Hausfrauen einen Höllenlärm. Schnattern. Lauern auf die günstige Gelegenheit, sich vorzudrängen. Immer wieder muß man sie zurückzerren.

Plötzlich kommt in den Laden, mit flinkem, zierlichem Schritt, so ein Dämchen. Noch jung und hübsch – mit kleinem schwarzem Hut. Und um den Hut weht der Witwenschleier. Sie hat also, was klar ersichtlich ist, Trauer. Und diese Dame schiebt sich energisch durch die Menge – bis zum Ladentisch. Und sagt irgend etwas zum Verkäufer, was durch den Radau nicht zu verstehen ist.

Darauf vernehmlich der Verkäufer: „Kann ich von mir aus, Genossin, nicht machen. Aber – wenn die anderen Wartenden es gestatten – soll's mir recht sein!"

„Was gibt's denn?" wird aus der Reihe gefragt.

„Da hat sich" – sagt der Verkäufer – „bei der Dame nämlich eine entsetzliche Familientragödie ereignet. Ihr Ehemann" – sagt er –, „der Mann der Dame, hat sich erschossen. Und sie bittet, ihr ein Pfund sauren Rahm und 20 Eier außer der Reihe auszugeben."

„Aber klar! Ist ja selbstverständlich! Unbedingt außer der Reihe! Los, gib's ihr schon!" schwirren die Antworten laut durcheinander. Und alles starrt voller Neugier die Genossin an.

Sie zupft zierlich ihren Witwenschleier zurecht und seufzt tief.

„Nein, was für ein Unglück!" sagt der Verkäufer, den Rahm abwiegend. „Und, ich bitte um Verzeihung, meine Dame, weshalb, wenn ich fragen darf?" Darauf die Dame: „Er neigte schon immer zur Melancholie . . ."

„Und wann geschah das Schreckliche, wenn ich fragen darf?"

„Vorige Woche waren es gerade zwei Monate."

„Nein, was es für ein Unglück gibt auf der Welt!" meint wieder der Verkäufer. „Und wenn die Frage gestattet ist: Womit? Mit dem Revolver? Oder mit was anderem?"

„Mit dem Revolver!" sagt die Dame beherrscht.

„Und was das Schrecklichste ist: alles vor meinen Augen. Ich sitze, wissen Sie, im Nebenzimmer und will gerade, ich weiß nicht mehr was, tun. Und ahne auch nicht das geringste. Und plötzlich – dieser entsetzliche Knall! Mit einem Wort – der Schuß! Ich stürze hinein. Das Zimmer voller Rauch. In den Ohren dröhnt's noch. Alles, alles vor meinen Augen!"

„Mhm!" sagt jemand aus der Reihe. „So was kommt öfters vor!"

„Kann sein!" antwortet die Dame gekränkt. Und ihre Stimme zittert. „Aber so, direkt vor meinen Augen. Nein, wissen Sie, das ist wirklich . . ."

„Was für schreckliche Schrecknisse!" seufzt der Verkäufer voller Mitgefühl.

„Sie sagen da" – fährt die Dame fort –, „so was kommt öfters vor. In der Tat, ich will es gar nicht abstreiten. So hat sich bei meinen Bekannten zum Beispiel der Neffe erschossen. Aber der junge Mann, wissen Sie, ging aus dem Hause, verschwand überhaupt. Hier aber . . . vor meinen Augen . . ."

Der Verkäufer wickelte Rahm und Eier ein und reichte das Paket mit besonderer Höflichkeit der schwergeprüften Genossin.

Die Dame dankte mit traurigem Kopfnicken und ging gramgebeugt zum Ausgang.

„Nun ja!" sagte ein Subjekt aus der Schlange. „Der Ehemann hat sich erschossen! Das ist traurig, gewiß. Aber wozu die Eile, wenn ich fragen darf? Und Eier und Rahm außer der Reihe? Das ist nicht richtig!"

Die Dame warf einen verächtlichen Blick auf das Subjekt und trat über die Schwelle. Hinter ihr schloß sich die Tür.

Ehen sind fest!

Sachen gibt's bei uns, sage ich euch!

Hier hat sich neulich eine von unseren Mietgenossinnen mit ihrem angetrauten Gatten verzankt. Freilich gab es bei ihnen jede Woche irgend so eine Familientragödie, aber diese überstieg alle Erwartungen. Die lieben Kinderchen fingen an, sich mit Gegenständen zu bewerfen.

Er warf mit dem Samowarhahn nach ihr. Und der Samowar, wissen Sie, fing an zu fließen. Sie wurde wütend und antwortete mit einem Schüsselchen. Er aber hob die Scherben dieses zerbrochenen Schüsselchens auf und verkratzte sich damit absichtlich.

Und brüllt dabei aus vollem Halse: „Gattenmord!“

Aber sie, seine Gattin, Katjuschka Bjelowa, erwies sich als klüger. „Ach so“, sagt sie, „so einer bist du!“ – Mit einem Wort, Sie verstehen schon, was sie sagte.

„Ich“, sagt sie, „höre vielleicht augenblicklich auf, mit dir zusammenzuwohnen. Augenblicklich“, sagt sie, „suche ich meine Sachen zusammen – und dann schmeißt nur, bitte, mit Hähnchen nach Euren Nachbarn!“

Er antwortete: „Ach! Stellt Euch bloß vor, wie Ihr mich erschreckt habt! Bitte schön!“ sagt er, „die Luft wird nur reiner werden!“

Hier gab es zwischen ihnen noch einmal eine gewisse Belebung. Wonach Katja ihre Sächelchen zusammensuchte. Sie in ein Bettuch wickelte. Auf ihren Ehegatten spuckte. Und davonging.

Sie ging zu ihrer leiblichen Mutter. Zu ihrer Mama. Aber ihre Mama war nicht sehr erfreut über ihre Ankunft. Mit einem Wort, sie hüpfte nicht um ihr Töchterchen herum.

„Ich bin selbst nur eine Winkelmieterin“, sagte die Mama; „wie Euch bekannt ist, habe ich keinen Zimmerüberfluß!“

Katja antwortete: „Aber, ich komme ja nur allerhöchstens auf ein paar Tage, bis ich ein Zimmer gefunden habe!"

Die Alte brachte in dieser Angelegenheit keinen Wankelmut auf. „Wir wissen das", sagte sie, „andere suchen fast sechs Jahre schon ein Zimmer und können keins finden, und du bist da so eine Optimistin!"

Nun, da das Töchterchen sah, daß die Mama Schwierigkeiten machte, stellte sie ihr Bündel in die Ecke und ging zu ihrer Freundin Toßja.

Toßja meinte: „Ich sympathisiere sehr mit dir. Du kannst mit meiner moralischen Unterstützung rechnen. Aber ich selbst wohne mit meinem Mann in einem kleinen Zimmer . . ."

Danach lief Katjuschka noch zu einer bekannten Dame. Ohne Erfolg.

Doch schon naht der Abend. Man muß schließlich irgendwo unterkommen. Es ist ja nicht wie im Süden! Also sprach Katja im Hotel vor, im ehemaligen „Modern". Im „Modern" sagte man ihr: „Bei uns sind nur Angereiste zulässig! Denn sonst blüht die Sittenverderbnis zu sehr! Wenn Ihr zum Beispiel in Moskau wohnen würdet, würden wir Euch gerne hereinlassen. Aber so, entschuldigt schon! . . ."

Danach spazierte Katjuschka noch ein wenig auf den Straßen auf und ab und ging schließlich mit leisen Schritten zu ihrem verloschenen häuslichen Herd.

Ihr Gatte sagte gleich: „Ah, Euer Hochwohlgeboren sind also wiedergekommen! Die Füßchen, Verzeihung, habt Ihr Euch wohl beim Herumtreiben auf den Straßen durchgenäßt?"

Wonach sie sich noch ein wenig beschimpften, zu Abend aßen und sich dann schlafen legten.

Ihr aber träumte, als ob jemand ihr erzählte, irgendwo wäre ein Zimmer zu vermieten!

Und überhaupt, die Wohnungsfrage festigt zweifelsohne das Familienleben! Einige Genossen sagen zwar, daß die Pfeiler des Familienlebens wankten und die Ehescheidungen sich häuften und dergleichen mehr. Nein, das ist nicht richtig. Die Ehen sind zur Zeit fest. Ziemlich fest!

Neues auf dem Liebessektor

Kürzlich ereignete sich hier eine sehr interessante Geschichte, um so bemerkenswerter, weil sie tatsächlich wahr ist. Keine Ausgeburt dichterischer Phantasie. Im Gegenteil. Das Ganze ist sozusagen aus dem Quell des Lebens geschöpft. Außerdem ist es eine Liebesgeschichte. Und vielen Lesern wird es unterhaltsam erscheinen, zu sehen, was auf diesem wichtigen und immer aktuellen Sektor sich gegenwärtig abspielt.

Also vor zwei Jahren geschah in Saratow folgendes: Ein ziemlich leichtsinniger junger Mann, Serjoga Chrenow, ein Angestellter, genauer gesagt, ein Ausschußsortierer, begann einem jungen Fräulein den Hof zu machen, einer, sagen wir mal, Arbeiterin. Oder das Fräulein begann um ihn herumzuscharwenzeln. Heute, nach so langer Zeit, ist das nicht mehr genau festzustellen. Es ist nur bekannt, daß man den beiden öfters in den Straßen Saratows begegnen konnte. Sie begannen also Hand in Hand spazierenzugehen, Koseworte zu flüstern. Und so weiter. Und so fort. Was alles dazugehört. Und eines schönen Tages sagte der geschniegelte junge Sortierer zur Dame seines Herzens: „Also!" – sagt er –, „Genossin Anna Lytkina, wir gehen miteinander, wie man so sagt, machen Spaziergänge. Und zweifellos" – sagt er – „können wir nicht voraussehen, was noch alles dabei herauskommt. Und darum" – sagt er – „seien Sie so freundlich, geben Sie mir eine Bescheinigung, daß Sie nämlich im gegebenen Falle, und wenn ein Kind kommt, an mich als die bezeichnete Person keine Ansprüche stellen werden. Und ich" – sagt er – „werde im Besitze eines solchen Dokumentes zu Ihnen noch viel zärtlicher sein. Andernfalls aber" – sagt er – „werde ich eher der Liebe zu Ihnen entsagen, als daß ich die Folgen tragen und Geld für die Erhaltung der Nachkommenschaft zahlen würde!"

Entweder war sie in ihn ganz vernarrt, oder dieser bedenkenlose Geck beschwatzte sie. Kurzum, sie unterschrieb das Papierchen. Sozusagen: Im Falle daß – und so weiter und so fort . . . werde ich keine Ansprüche stellen und keine Alimente fordern.

Sie unterschrieb also das gewünschte Papierchen, konnte dabei aber einige diesbezügliche Bemerkungen nicht unterlassen.

„Das finde ich doch von Ihrer Seite etwas sonderbar!" – sagte sie. „Ich habe bisher noch niemand eine solche Bescheinigung geben müssen! Und" – sagte sie – „es verletzt mich tief, daß Ihre Liebe diese wunderlichen Formen annimmt! Aber" – sagte sie – „wenn Sie durchaus darauf bestehen, bitte sehr, kann ich Ihr Papierchen natürlich unterschreiben."

Darauf der Sortierer: „Ja, ich bitte darum! Ich" – sagte er – „habe so meine zehnjährige Erfahrung und weiß, was in unserem Lande in solchen Fällen zu erwarten steht."

Sie unterschrieb das Papierchen. Er, nicht blöd, ließ die Unterschrift ihres reizenden Händchens von der Hausverwaltung beglaubigen. Und verwahrte dieses kostbare Dokument ganz nahe an seinem Herzen. Kurz gesagt: nach anderthalb Jahren standen beide, lieb und traut wie Unschuldslämmer, vor dem Volksgerichtshof und erstatteten Bericht über ihre alte, erloschene Liebe.

Sie stand in ihrem weißen Stricktuch und wiegte ein Kleines. „Jawohl!" – sagte sie. „Ich habe in der Tat aus lauter Dummheit unterschrieben. Aber jetzt ist das Kind als solches da, und nun muß der Vater des Kindes natürlich auch das Seine beitragen. Zumal ich zur Zeit arbeitslos bin!"

Er aber, der Verflossene, jetzt der junge Vater, steht ganz lässig da und lächelt in sein Schnurrbärtchen.

Wie? Wovon die Rede sei? Was das Ganze bedeuten solle, verstehe er nicht. Wo doch alles ganz klar und sogar schriftlich belegt sei. Und er jederzeit – man könne versichert sein – dieses sein Dokument vorweisen könne.

Er knöpfte feierlich, triumphierend seinen Rock auf, wühlte nur einen Augenblick in den Taschen und holte dann das bewußte Papierchen heraus. Er holt also das teure Dokumentchen heraus und legt es lachend auf den Richtertisch.

Der Volksrichter sah sich das Papierchen genau an, prüfte Unterschrift und Stempel und sagte, ebenfalls lächelnd: „Zweifellos – das Dokument stimmt!“

Darauf der Sortierer: „Vollkommen! Alle Vorschriften“ – sagt er – „sind gewahrt. Und nichts unterlassen.“

„Das Dokument“ – fährt der Volksgerichtshof fort – „ist zweifellos richtig, aber ohne jeden Wert. Denn das Gesetz steht schützend auf der Seite des Kindes und nimmt dessen Interessen wahr. Und in dem vorliegenden Falle soll dem Gesetz zufolge nicht das Kind es büßen, wenn sein Erzeuger sich zufällig als ein ganz gerissener Schweinehund entpuppt. Kraft besagten Gesetzes“ – sagt er – „hat Ihre Bescheinigung nicht die geringste bindende Kraft. Wenngleich das Papierchen natürlich als teures Andenken sehr kostbar ist. Nehmen Sie es nur rasch wieder an Ihre Brust!“

Und so zahlt jetzt der vorsichtige junge Vater schon ein halbes Jahr die gefürchteten Alimente.

Selbsthilfe

Trofimytsch aus unserer Kommunalwohnung ging seinem Töchterchen Stiefelchen kaufen. Sein Mädelchen, Njuschka, ist so ein langaufgeschossener Fratz von sieben Jahren.

Trofimytsch also ging, dieser seiner Njuschka ein Paar neue Schuhe anzuschaffen. Es wurde langsam Herbst, und das Kind hatte natürlich keine Schuhe.

Trofimytsch knirschte mit den Zähnen, und das sollte etwa heißen: Was für Kosten! Nahm Njuschka beim Händchen und ging mit ihr einkaufen.

Er ging mit seinem Kind in ein Warenhaus und ließ sich die Schuhe zeigen. Alles ganz ausgezeichnet! Die Ware war gut, und die Schuhnummer paßte. Eines nur, wissen Sie, paßte überhaupt nicht: der Preis nämlich! Der Preis betrug, geradheraus gesagt, 12 ganze Rubelchen! Trofimytsch wollte natürlich solch eine Untergröße von Kinderstiefelchen sehr viel billiger einkaufen, so um eineinhalb bis zwei Rubelchen etwa.

Also ging Trofimytsch, ohne auf Njuschkas jämmerliches Brüllen zu achten, in ein anderes Geschäft.

Im zweiten Geschäft verlangte man 10 Rubel dafür. Im dritten ebenfalls 10. Mit einem Wort: wo sie auch hinkamen – die gleiche Geschichte. Die Schuhe passen, die Ware ist gut, mit dem Preis aber ist's ein wahres Kreuz. Sie kommen und kommen nicht überein. Nichts wird's mit dem Kauf. Und Njuschka heult.

Im fünften Geschäft zog Njuschka die Schuhe an. Sie passen. Der Preis: 9 Rubelchen ohne Rabatt! Trofimytsch natürlich fing an zu feilschen und bat, drei bis vier Rubelchen nachzulassen.

Njuschka indes, in ihren neuen Stiefelchen, ging zur Tür und – hast du nicht gesehen – war sie auch schon draußen auf der Straße. Trofimytsch wollte hinter seinem Sprößling herrennen, wurde aber vom Geschäftsführer zurückgehalten.

„Zuerst zahlen, Genosse!" sagte der Geschäftsführer. „Dann können Sie Ihren eiligen Geschäften nachgehen."

Trofimytsch bat flehentlich abzuwarten.

„Das Mädelchen" – sagt er – „kommt ja gleich zurück. Es will in den neuen Stiefelchen sicher nur ein paar Schritte tun. Ausprobieren, ob sie nicht doch irgendwo drücken."

Sagt der Geschäftsführer: „Das geht mich nichts an. Die Ware ist weg. Entrichten Sie den Preis. Ohne zu zahlen, kommen Sie hier nicht heraus."

Trofimytsch sagt: „Nein, ich bleibe lieber noch ein wenig. Ich warte, bis mein Töchterchen zurückkommt."

Njuschka aber kam nicht wieder. Sie war direkt aus dem Laden in ihren neuen Stiefelchen heimgelaufen. Denn, denkt sie, Papachen wird – das ist klar wie Quellwasser – die Schuhe todsicher nicht kaufen. Weil sie ihm wieder zu teuer sind. Und eben darum kam sie auch nicht zurück.

Nichts zu machen also. Trofimytsch zahlte wehen Herzens, was verlangt wurde, knirschte wütend mit den Zähnen und ging ebenfalls heim. Njuschka war schon zu Hause und stolzierte durch das Zimmer in ihren neuen Schuhen. Und wenn es – zur Strafe – auch ein paar Prügel setzte, so konnte das intelligente Kind die teuren Stiefelchen schließlich doch behalten.

Jetzt, nach diesem Vorkommnis, gibt man in den staatlichen Schuhgeschäften – Sie werden es vielleicht schon bemerkt haben – nur den linken Schuh zum Anprobieren. Den rechten aber verbirgt man sorgsam irgendwohin, oder der Geschäftsführer selbst klemmt ihn sich zwischen die Knie. Und der Kunde darf ihn nicht einmal anfassen.

Denn die Kinderchen sind ziemlich selbständig geworden. Eine findige Generation. Weiß sich zu helfen.

Die Patientin

Dreißig Werst weit fuhr Pelageja ins Dorfkrankenhaus. In der Frühdämmerung war sie von Hause weggefahren und hielt gegen Mittag vor dem weißen einstöckigen Haus.

„Hat der Chirurg Sprechstunde?“ – fragte sie einen Bauern, der draußen auf der Haustreppe saß.

„Der Chirurg?“ – fragte das Bäuerlein interessiert. „Bist wohl krank? Am Leib, wie?“

„Ja!“ – antwortete Pelageja.

„Ich bin auch krank, mein Täubchen!“ – sagte der Bauer. „Habe mich am Hirsebrei überfressen! Bin schon der Siebente in der Reihe!“

Pelageja band das Pferd am Zaun fest und ging ins Haus.

Iwan Kusjmitsch, der Feldscher, hatte Sprechstunde. Er war alt und klein und sehr berühmt. In der ganzen näheren und weiteren Umgebung kannte ihn ein jeder – man lobte ihn überall und nannte ihn ohne besonderen Grund den Chirurgen. Pelageja trat zu ihm ins Zimmer, verneigte sich tief und setzte sich auf den Stuhlrand.

„Fehlt's denn irgendwo?“ – fragte Iwan Kusjmitsch.

„Ja!“ – sagte Pelageja. „Jeder kleine Knochen tut mir weh. Und das Herz fault bei lebendigem Leibe!“

„Wovon bloß?“ – fragte der Feldscher gleichmütig. „Seit wann?“

„Seit dem Herbst, Iwan Kusjmitsch, genau seit dem Herbst. Im Herbst wurde ich krank. Als mein Mann Dimitrij Naumytsch – wissen Sie – zu Besuch aus der Stadt gekommen war – gerade da wurde ich krank. Ich stehe, wissen Sie, so vor dem Tisch und wälze kleine Kügelchen in Mehl und denke mir dabei ... Dimitrij Naumytsch nämlich aß diese Kuchen für sein Leben gern ... Wo er, Dimitrij Naumytsch , jetzt wohl sein mag – denke ich mir ... Er ist, müßt Ihr wissen – Sowjetdeputierter in der Stadt ...“

„Hör mal, Mütterchen“ – sagt der Feldscher – „red weiter, aber ohne Umschweife bitte! Was fehlt dir?“

„Aber ich sag's ja!“ – sagte Pelageja. „Ich stehe am Tisch und drehe die Kügelchen ... Plötzlich kommt Tantchen Agafja wie ein Sturmwind gelaufen und winkt mit der Hand. ‚Komm‘ – schreit sie –, ‚Pelagejuschka, komm geschwind! Der Deinige ist scheint's aus der Stadt zurück! Er kommt auf der Straße daher mit einem Sack und einem Stock in der Hand!‘ – Ach, wie mir da das Herze zu klopfen begann ... Und ganz weich wurden mir die Knie. Ich stehe aber noch wie blöd da und drehe die Kügelchen ... Dann aber ließ ich die Kügelchen Kügelchen sein und rannte hinaus auf den Hof. Draußen auf dem Hof spielt und lacht die Sonne. Ein leichtes Lüftchen regt sich. Linker Hand, in der Nähe des Stalls, steht das gelbe Kälbchen da und jagt die Fliegen mit dem Schwänzchen. Ich schaue auf das Kälbchen – und die Tränen stürzen mir nur so aus den Augen. Wie wird sich erst, denk ich mir, Dimitrij Naumytsch über dieses Kälbchen freuen ...“

„Hör mal“, sagte der Feldscher verdrießlich – „komm schon endlich zur Sache!“

„Aber ich red ja schon die ganze Zeit davon, Väterchen Iwan Kusjmitsch. Sei nicht bös ... Eben von der Sache red ich ja ... Ich lief also zur Pforte hinaus. Schau so in die Weite – links, wissen Sie, steht die Kirche, eine Zottelziege weidet da, und ein Hahn scharrt mit den Beinchen im Mist – rechts aber, seh ich, kommt geradewegs Dimitrij Naumytsch gegangen.

Ich schau ihn an. Und das Herz krampft sich mir zusammen. Ach – denk ich – Heilige Mutter Gottes! Ach – denk ich – wie wird mir so bange . . . Er aber kommt mir mit würdigen kleinen Schritten entgegen. Der Wind zaust in seinem Bart . . . Einen städtischen Anzug hat er an. Und Halbschuhe . . .

Als ich diese Halbschuhe erblickte, war's mir, als risse mir inwendig etwas entzwei. Ach – denk ich – wie passe ich ungebildetes, blödes Weib noch zu ihm, wo er jetzt vielleicht der erste Mann in der Stadt und Sowjetdeputierter ist.

Wie blöd lehn ich am Zaun und kann keinen Schritt tun. Steh bloß da und fingere am Flechtzaun.

Er aber, Dimitrij Naumytsch, der Sowjetdeputierte, tritt mit kleinen Schritten zu mir und begrüßt mich: ‚Guten Tag' – sagt er –, ‚Pelageja Maksimowna! Wieviel Sommer' – sagt er –, ‚wieviel Winter haben wir uns nicht gesehen . . .' Ich dummes Weib hätte da Dimitrij Naumytsch den Sack abnehmen sollen – ich schaue aber nur auf die Halbschuhe und rühre mich nicht vom Fleck.

Ach! – denk ich – fremd ist mir der Mann geworden! Trägt Halbschuhe! Plaudert vielleicht sogar mit den Städtischen, den Komsomolzinnen . . .

Dimitrij Naumytsch aber sagt mit seiner Baßstimme: ‚Ach!' – sagt er – ‚Pelageja, Pelageja, du bist mir schon eine! Dumm und ungebildet' – sagt er – ‚bist du, Pelageja Maksimowna. Worüber soll ich mich bloß' – sagt er – ‚mit dir unterhalten? Ich' – sagt er –, ‚ich bin ein gebildeter Mann und Sowjetdeputierter! ‚Ich' – sagt er – ‚kann alle vier Rechnungsregeln auswendig. Die Brüche sogar' – sagt er – ‚kann ich. Und du bist mir so eine! Kannst sicher nicht einmal deinen Familiennamen unterschreiben! Ein anderer hätte dich für soviel Unbildung und Dummheit einfach schon längst verlassen . . .'

Ich aber steh am Zaun und stottere nur, sozusagen: ‚Wohl, wohl! Dimitrij Naumytsch, lassen Sie mich dummes Weib nur stehen, was macht's Ihnen schon aus . . .'

Er aber nimmt mich an der Hand und antwortet: ‚Ich habe ja nur

Spaß gemacht, Pelageja Maksimowna. Wo denken Sie denn hin! Ich habe das doch nur so gesagt . . . Was meinen Sie denn . . .' Wie rasend begann wieder mein Herz zu pochen. ‚Dimitrij Naumytsch' – sag ich –, seien Sie unbesorgt, ich werd auch die Brüche erlernen und die vier Regeln. Oder den Familiennamen zu unterschreiben. Ich' – sag ich, ‚werde Sie gebildeten Mann doch nicht blamieren . . .'

Der Feldscher Iwan Kusjmitsch stand von seinem Stuhl auf und begann im Zimmer auf und ab zu gehen.

„Nun, nun!" – sagte er. „Es langt schon, langt schon! Wo tut's denn weh?"

„Wo's weh tut? Jetzt eigentlich nichts mehr, Iwan Kusjmitsch. Es ist mir, glaub ich, jetzt viel leichter ums Herz. Über die Gesundheit kann ich nicht klagen. Und er, Dimitrij Naumytsch, sagte ja: ‚Ich habe nur Spaß gemacht!' – sagte er. Es sei sozusagen nur ein Scherz gewesen!"

„Nun freilich hat er nur einen Spaß gemacht! Natürlich! Soll ich dir vielleicht ein Pulver verschreiben?"

„Ach, das ist nicht nötig!" – sagte Pelageja. „Ich danke dir schön, Iwan Kusjmitsch, für deinen Rat. Ich muß jetzt heimfahren!"

Pelageja legte ein Säckchen mit Korn auf den Tisch und ging zur Tür. Dort wandte sie sich noch einmal um: „Und die Brüche, Iwan Kusjmitsch, wo könnte ich die Brüche wohl lernen? Ob ich zum Lehrer hinfahren soll?"

„Zum Lehrer!" – sagte der Feldscher und seufzte. „Freilich, zum Lehrer! Die Medizin gehen diese Brüche nichts an!"

Pelageja verneigte sich ehrfurchtsvoll und trat hinaus auf die Straße.

Die Operation

Diese kleine betrübliche Geschichte ist dem Genossen Petjuschka Jastschikow passiert. Man sagt so leichthin: kleine Geschichte. Dabei hätte man beinahe einen Menschen getötet. Bei der Operation. Nun, ganz so schlimm war es auch wieder nicht. Und Petja ist auch gar nicht der Mann, der sich ohne weiteres umbringen läßt. Nein, so einer ist er gewiß nicht!

Aber, wie auch immer – diese dumme Geschichte ist ihm tatsächlich passiert.

Wiewohl sich, im Grunde genommen, nichts Betrübliches zugetragen hat. Der gute Mann hatte einfach falsch spekuliert. Einfach nicht richtig kombiniert.

Er kam zum erstenmal zu einer Operation und hatte noch keine Übung.

Petjuschka bekam nämlich ein Gerstenkorn. Das Oberlid an seinem rechten Auge schwoll an. Und nach drei Jahren war das Körnchen schier so groß wie 'ne Billardkugel.

Petja Jastschikow wanderte in die Klinik und geriet an eine Ärztin, eine junge, hübsche Person. Diese Doktorin sagt zu ihm: „Es steht in Ihrem Belieben: Wenn Sie wollen, können wir's 'rausschneiden. Wenn Sie nicht wollen, geht's auch so. Es ist ja keine tödliche Krankheit! Und manche Männer, die üblicherweise auf ihr Äußeres keinen allzugroßen Wert legen, gewöhnen sich mit der Zeit vollkommen an den Knopf vor dem Auge." Jedoch um der Schönheit willen entschied sich Petjuschka zur Operation. Woraufhin die Doktorin ihn für den nächsten Tag zu sich in die Klinik bestellte.

Tags darauf wollte Petjuschka Jastschikow gleich nach der Arbeit zur Operation gehen. Aber dann überlegte er: Die Sache betrifft zwar nur das Auge, ist also äußerlich, und die Operation sozusagen auf keinen Fall innerlich. Aber – denkt er – womöglich lassen sie einen den Rock ausziehen . . . Die Medizin – denkt er – ist eine rätselhafte Sache! Sollte man nicht doch lieber erst nach Hause laufen und ein sauberes Hemd anziehen . . .

Also lief Petjuschka erst heim.

Der Hauptgrund: Weil die Ärztin jung und hübsch war! Ein bißchen aufspielen wollte sich Petjuschka vor ihr! Sozusagen: Wiewohl den Anzug nicht übermäßig prächtig . . . dafür aber – bitte nur herzuschauen – ein peinlich sauberes weißes Hemd bester Qualität!

Mit einem Wort: Petja wollte auf alles gefaßt sein und sich nicht überrumpeln lassen.

Er lief also heim, zog ein sauberes Hemd an, rieb sich den Hals mit Benzin sauber, wusch die Hände unterm Wasserhahn, zwirbelte den Schnurrbart hoch, und – los ging's, in die Klinik.

Die Doktorin sagt: „Da ist der Operationstisch. Hier meine Lanzette. Gleich geht's an Ihr Gerstenkorn! Ziehen Sie nur Ihre Schuhe aus, und legen Sie sich auf den Operationstisch!"

Darob geriet Petjuschka nicht wenig in Verwirrung.

Also das – denkt er – hätte ich nicht vermutet, daß man die Stiefel ausziehen muß. Das ist mir ja ein schöner Reinfall! Oje! – denkt er – meine Socken sind nicht sehr repräsentativ! Um keinen ärgeren Ausdruck zu gebrauchen!

Unaufgefordert zog Petjuschka Jastschikow seinen Kittel aus, um gewissermaßen die tiefer unten befindlichen Mängel auszugleichen.

Aber die Doktorin sagt: „Lassen Sie den Kittel nur ruhig an. Wir sind ja nicht im Hotel! Ziehen Sie nur die Stiefel aus."

Petjuschka griff zögernd nach seinen Stiefeln.

„Genossin Doktor" – sagt er dann –, „ich wußte wirklich nicht, daß ich mich legen muß. Die Krankheit" – sagt er – „sitzt doch oben, am Auge! Wirklich" – sagt er –, „das hätte ich nicht vermutet! Das Hemd, Genossin Doktor, habe ich gewechselt, aber das andere, ich bitt' um Verzeihung! – die verschwitzten, löcherigen Socken habe ich anbehalten! Sie" – sagt er – „schauen bitte nicht darauf – bei der Operation. Nicht wahr?"

Die Ärztin, abgeklärt durch ihre höhere Bildung, sagt ihm: „Na, mach schon! Zeit ist Geld!" – Und kichert dabei durch die Zähne.

Und auf solche Weise operiert sie ihn. Schneidet und lacht dabei. Schaut auf seine Füße und verschluckt sich fast vor Lachen. Sogar die Hand zittert ihr.

Sie hätte ihn wahrhaftig leicht umbringen können – mit dieser zitternden Hand.

Darf man denn ein wertvolles Menschenleben einer solchen Gefahr aussetzen?

Die Operation ist übrigens ganz ausgezeichnet gelungen. Und Petjuschkas Augenlid hat jetzt kein Gerstenkorn mehr.

Man kann nie wissen!

Einen gefährlichen Beruf haben die Ärzte! Die Sache ist nämlich die: Der Patient ist neuerdings brutal. Er geniert sich gar nicht mehr. Beim kleinsten Mißverständnis rückt er dem Doktor zu Leibe – oder er schlägt ihn überhaupt gleich tot.

Der Arzt aber ist ein intelligenter Mensch und hat es gar nicht gern, daß man ihn totschlägt. Kann sein, daß er darum so nervös ist.

Bei uns in der Poliklinik zwar ist's noch nicht Sitte, die Ärzte totzuschlagen. Bei uns steht ein Arzt beständig auf Wache. Und nicht ein einziges Mal ist er totgeschlagen worden. Den Feldscher hat man tatsächlich einmal tüchtig durchgeprügelt, aber dem Arzt hat man kein Haar gekrümmt. Er hatte sich nämlich hinter dem Wandschirm versteckt.

Daß man einmal unseren Doktor arg erschreckt hat, ist weiter nicht schlimm. Zudem ist er überhaupt so ein ziemlich schreckhafter Intelligenzler! Kaum daß er das Hörrohr in den Patienten reingestochert hat, läuft er schon auf und davon – so an die vierzig Schritte weit – und unterhält sich von dorther. Ein vorsichtiger

Intelligenzler eben! Als aber Grigorij Iwanowitsch Werjowkin in die Sprechstunde kam, war der Doktor schon vor lauter Wachsamkeit übernervös. Grigorij Iwanowitsch kam in die Ambulanz in einer höchst dringlichen Sache. Er mußte sozusagen unumgänglich in Urlaub fahren. Ins Heimatdorf. Sein Vater brauchte ihn.

Er kam also angerückt, entledigte sich seiner Kleider und steht nun vor dem Arzt, wie der liebe Herrgott ihn geschaffen hat. Und denkt sich: Schön wär's, diesem Intelligenzler zwei Wochen abzuschwindeln!

Der Arzt spießt ihm das Hörrohr in den Bauch und läuft gleich hinter den Instrumentenschrank und wispert von dorther: „Nein, also – Sie sind, sozusagen, überhaupt nicht krank. Ziehen Sie sich nur wieder an!"

Solches verstimmte natürlich Grigorij Iwanowitsch sehr, und er sagte unwillig: „Du, Onkel!" – sagt er –, „horch mich mal anständig ab und stocher nicht bloß so unsinnig mit dem Hörrohr rum! Rumstochern" – sagt er – „kann ich selber auch!"

Das brachte hinwiederum den Arzt auf, und er untersuchte grimmig den Patienten noch einmal. Danach ging er wieder hinter den Schrank und sagte: „Bei Gott!" – sagt er –, „ich schwöre Ihnen, es ist nicht das geringste zu finden! Ziehen Sie sich an!"

Grigorij Iwanowitsch begann sich anzukleiden. Und natürlich kam es ihm auch nicht in den Sinn, den Doktor für die Fehldiagnose totzuschlagen oder dem Feldscher den Kopf einzuhauen. Der gute Mann war nur ganz einfach außer sich, daß ihm der Urlaub ins Wasser gefallen war. In der Verwirrung der Gefühle spuckte er nur in die Ecke.

Und schob dabei die Hand in die Tasche. Er wollte nämlich – sagte er später – das Taschentuch herausholen und sich schneuzen, zur Nervenberuhigung!

Kaum aber hatte er die Hand in der Tasche, ging's Geschrei los.

Der Doktor schreit Zeter und Mordio. Der Feldscher fuchtelt wie besessen mit den Armen und ruft das Volk herbei. Die Leute kommen zusammengelaufen, packen Grigorij Iwanowitsch Werjowkin und halten ihn fest.

Werjowkin sagt: „Was ist denn los, Brüderchen, Schwesterchen?

Ihr seid wohl verrückt geworden!" Aber der Feldscher, dieser Aufhetzer, antwortet: „Er wollte uns Mediziner totschießen! Er hat eben die Hand in die Tasche gesteckt . . ."

Man durchsuchte Grigorij Iwanowitsch, doch fand man außer etwas stinkendem Rauchtabak nichts Verdächtiges.

Was aber Grigorij Iwanowitsch vom Taschentuch faselte – als ob er sich wie ein Intelligenzler ins Tüchlein hätte schneuzen wollen –, ist natürlich glatt gelogen! Bei ihm wurde überhaupt kein Taschentuch gefunden!

Sicher hat er die Hand ohne jede Absicht in die Tasche gesteckt. Und die Mediziner haben ganz umsonst gebrüllt. Bei uns ist's gar nicht Sitte, die Ärzte totzuschlagen!

Laßt sie doch leben! Wem tut's leid?

Das verlorene Schlüsselchen

Gewiß, es ist allen bekannt, daß man bei uns nicht so leicht ein Hotelzimmer bekommen kann. Ich selbst habe mich davon überzeugen können, als ich in die Krim fuhr. Direkt vom Schiff ging ich ins Hotel. Dort sagte mir der Portier: „Wissen Sie, ich muß mich über unser Publikum geradezu wundern! Kaum ist das Schiff da, kommen sie schon gelaufen. Ausgerechnet zu uns! Als ob das hier ein Hotel wäre! Nun ja – es ist schon ein Hotel, aber Zimmer haben wir keine. Alles besetzt!"

Da beschloß ich, zur List zu greifen. Ich hatte zwei Gepäckstücke bei mir: das eine war ein gewöhnlicher Reisekorb von sehr bescheidenem inländischem Aussehen, dafür aber das andere ein ganz prächtiger Fiberkoffer oder, richtiger gesagt, Pappkoffer. Den Korb also ließ ich beim Zeitungshändler an der Straßenecke, zog meinen internationalen Gummimantel verkehrt, mit dem Karofutter nach außen, an, schob die Schirmmütze auf die Nase, kaufte mir eine dicke Zigarre, und in solchem unwahrscheinlichen Aufzuge dringe ich mit meinem Exportkoffer von neuem ins Hotel. Der Portier sagt: „Sie kommen umsonst! Zimmer sind nicht frei!“ Darauf erwidere ich ganz ausländisch: „Ein Schamberzimmer, jawoll!“

„Ach, Herrgottchen!“ sagt der Portier. „Nun kommt sogar ein Ausländer zu uns angerückt!“ Und antwortet selbst auch ganz ausländisch: „Jawoll, jawoll! Ein Schamberzimmer, selbstverständlich! Bitte serr! Werde sogleich ein Schamberzimmer aussuchen, welches am schönsten ist und wo weniger Wanzen . . .“

Ich mache ein hochmütiges Gesicht, aber die Knie zittern mir. Der Portier indessen, um mit seinen ausländischen Sprachkenntnissen zu prahlen, fragt mich: „Pardong“, sagt er, „mein Herr“, und deutet auf mich. „Wu set Germania, oder“, sagt er, „vielleicht etwas anderes?“

Hol’s der Teufel – denke ich. Vielleicht kann der dämliche Kerl wirklich Deutsch. Und legt gleich los damit. „No“, sage ich. „Ich bin ein Schamberzimmer espanjol! Kapisko! Pas d’Espagne!“

Ach, das brachte den Portier vollends aus dem Häuschen.

„Herrgottchen!“ sagt er. „Nun hat es wahrhaftig einen Spanier zu uns hergeweht!“ Und zu mir: „Sofort, sofort! Natürlich! Verstehe: Spanien, Pas d’Espagne!“

Ich sehe, ihm zittern vor Aufregung die Hände. Und auch meine zittern. Und so reden wir ausländisch miteinander und zittern beide.

Dann sage ich: „Jawoll!“ sage ich. „Bitte serr, tragen Sie meinen Koffer so schnell wie möglich in eine Kammerilla. Und nachher“, sage ich, „werden wir das andere erledigen!“

„Jawoll, jawoll!“ antwortet der Portier. „Sie können beruhigt sein.“ Und setzt schon eine ganz profitliche Visage auf. „Und wie werden Sie zahlen?“ erkundigt er sich. „In Valuta oder womöglich in unserem Gelde?“ Und zur Verdeutlichung macht er mit den Fingern Zeichen: Einser und Nullen, die natürlich auch jeder Ausländer versteht. Aber ich spiele den Dummen und befehle wieder, meinen Koffer aufs Zimmer zu tragen. Wenn ich nur endlich schon im Zimmer wäre, denke ich – danach können sie mich, hol's der Teufel, frikassieren! Nun greift der Portier nach meinem Koffer. Packt ihn aus lauter Diensteifer und Emsigkeit so stürmisch, daß das ausgeleierte Schloß aufspringt und der Koffer sich öffnet und natürlich mancherlei herausfliegt, geradheraus gesagt, lauter Schund! Na, so verschiedene geflickte Wäsche, halb ausgefranste Unterhosen, ein Stück Seife, Marke „Schaumreich", und andere echt inländische Erzeugnisse.

Der Portier schaut auf diese meine Habe, wird ganz bleich und begreift sofort.

„He, du!" schreit er. „Spanische Kanaille! Zeig deinen Ausweis!"

Ich sagte: „Nix kapisko! Und wenn Sie keine Kammerilla haben, geh ich lieber!"

Der Portier sagt empört zum Hausdiener: „Haben Sie gesehen? Haben Sie gesehen? Für einen Ausländer will er sich ausgeben!"

Ich will mich schnell aus dem Staube machen, aber der Hausdiener vertritt mir den Weg. „Pst, Genosse, kommen Sie mal her! Haben Sie keine Angst! Sagen Sie, brauchen Sie so dringend ein Zimmer?"

Ich sage: „Nach der Schaukelei auf dem Schiff kann ich kaum noch stehen. Ich will Ihnen gern was extra zahlen, wenn Sie mir ein Zimmer verschaffen."

Jetzt sagt der Portier: „Wir lassen uns nicht bestechen! Wenn Sie so dringend ein Zimmer brauchen, kann ich Ihnen auch so eins geben. Ohne Gegenleistung! Aber das Zimmer hat keinen Schlüssel! Es ist abgesperrt, und der Schlüssel ist verlorengegangen! Zahlen Sie dafür dem Schlosser fünfzehn Rubel! Er wird Ihnen das Zimmer öffnen und einen alten passenden Schlüssel ausfindig machen."

Ich zahlte das Geld und bekam sofort das Zimmer. Am Abend aber erfuhr ich, daß der Schlüssel gar nicht verloren gewesen war und daß die Teufel mir für fünfzehn Rubel den zum Zimmer gehörenden Schlüssel angedreht hatten. Das erzählte mein Nachbar, dem sie auf die gleiche Art zehn Rubelchen abgenommen hatten. Mir als ehemaligem Spanier natürlich fünf Rubel mehr!

Aber ich war ja so glücklich, daß ich ein Zimmer hatte.

Begegnung in der Krim

Ich sag's ganz offen: Ich liebe die Menschen sehr! Andere, wissen Sie, verschwenden ihre Sympathien an Hunde. Baden sie täglich und führen sie an silbernen Kettchen spazieren. Mir hingegen sind irgendwie die Menschen lieber. Freilich – um nicht zu lügen –, bei meiner ganzen heißen Liebe ist mir noch kein einziger selbstloser Mensch unterlaufen.

Es war da zwar einmal ein Bürschlein, das mit seiner freundlichen Persönlichkeit, einem lichten Strahle gleich, in meinem Leben flüchtig auftauchte und wieder verschwand. Aber gerade hinsichtlich eben dieses selben kommen mir manchmal die allergrößten Bedenken. Es ist mir bis heute nicht klargeworden, was er damals im Sinn hatte. Der Teufel mag wissen, was er sich dachte, als er mir den uneigennützigen Dienst erwies.

Ich machte damals nämlich eine Wanderung von Jalta nach Alupka. Zu Fuß. Auf der Fahrstraße. Ich war – müssen Sie wissen – in jenem Sommer in der Krim, im Sanatorium.

Ich gehe also rüstig fürbaß. Und erfreue mich der Krimnatur. Links von mir das blaue, blaue Meer. Weiße Schifflein schwimmen darauf herum. Und rechts – die Teufelsberge. Adler ziehen in den Lüften ihre Kreise. Kurzum – eine überirdische Schönheit, ohnegleichen!

Schlimm nur das eine: es ist unerträglich heiß. Und infolge solcher Hitze vermögen die Sinne die Schönheit nicht recht zu erfassen. Verschließen sich sozusagen vor dem Panorama! Und der Sandstaub knirscht zwischen den Zähnen!

Sieben Werst schon bin ich so gelaufen und lasse die Zunge hängen. Aber bis Alupka sind es, hol's der Kuckuck, noch weit mehr. Vielleicht an die zehn Werst. Und ich ärgere mich geradezu, daß ich losgezogen bin.

Dennoch legte ich noch eine Werst zurück und kam gehörig ins Schwitzen. Und setzte mich todmüde an den Straßenrand.

Sitze also. Erhole mich. Und sehe plötzlich – kommt da ein Mensch gegangen. Vielleicht fünfhundert Schritte hinter mir.

Rundum natürlich Einsamkeit! Keine Seele weit und breit. Nur die Adler fliegen.

Aber Arges kam mir nicht in den Sinn.

Immerhin und bei all meiner glühenden Liebe zu den Menschen – denke ich – ist es nicht angenehm, ihnen an so einsamen Orten zu begegnen. Es passiert ja nicht wenig! Gelegenheit macht – sozusagen – Diebe! Und Anfechtungen gibt's die Menge!

Ich stand also schnell auf und ging weiter. Drehe mich nach einer Weile um und sehe – der Mensch geht noch immer hinter mir.

Daraufhin beschleunige ich meine Gangart; er aber, scheint's, hält rüstig Schritt.

Ich gehe also. Das schöne Krimwetter ist mir Wurscht! Wenn ich nur – denke ich – heil und lebend nach Alupka gelange . . .

Wie ich mich wieder umdrehe, sehe ich – er winkt mir mit der Hand. Ich winke ihm auch. Soll heißen: Bleib, wo du bist, Freundchen! Tu mir den Gefallen!

Plötzlich höre ich – er ruft irgend etwas.

Nu – denke ich –, das Gesindel wird lästig! Und strebe selber zügig vorwärts. Hinter meinem Rücken höre ich – er ruft wieder. Und setzt sich auch schon in Trab. Rennt hinter mir her.

Todmüde fange auch ich zu laufen an. Laufe und laufe – und die Luft geht mir aus. Höre ihn rufen: „Halt, halt, Genosse!“

Da bleibe ich stehen. Lehne keuchend am Felsen. Es kommt – sehe ich – ein ärmlich gekleidetes Subjekt angerannt. In Sandalen. Statt eines Hemdes nur ein Netzleibchen!

„Was wollen Sie von mir?“ frage ich.

„Nichts!“ antwortet er. „Ich sehe nur, Sie gehen falsch. Sie wollen doch nach Alupka, nicht wahr?“ „Ja, gewiß.“

„Also ist die Fahrstraße ganz verkehrt! Auf der Chaussee“ – sagt er – „ist's ein Riesenumweg. Alle Touristen machen hier den gleichen Fehler. Auf den schmalen Fußpfad dort hinten müssen Sie. Vier Werst Reingewinn. Und mehr Schatten haben Sie auch.“

„Ach nein“ – sage ich. „Danke schön, merci! Ich gehe lieber auf der Fahrstraße.“

„Nu“ – antwortet er –, „wie Sie wollen! Ich für mein Teil nehme den Fußweg!“ Er dreht sich um und will zurück zum kürzeren Weg. Fragt aber nach ein paar Schritten: „Haben Sie keine Zigarette, Genosse? Würde mir gerne eine anzünden . . .“

Ich gab ihm die Zigarette und zündete auch mir eine an. Rauchend machten wir uns bekannt und wurden gleich gut Freund miteinander. Und wanderten gemeinsam auf dem angepriesenen Fußpfad nach Alupka.

Übrigens erwies er sich als ein sehr sympathischer Genosse. Aus dem Nahrungsmittelsektor. Den ganzen Weg hat er mich geneckt.

„Es war geradezu schmerzlich“ – sagt er –, „Ihnen nachzuschauen! Da geht einer und geht – aber nicht, wohin er will. Halt! – denke ich – sag's ihm doch! Sie aber rennen los wie nicht gescheit. Warum denn bloß?“

„Ach, nur so“, sage ich. „Warum auch nicht?“

Unversehens waren wir auf dem schattigen Fußpfad auch schon in Alupka angekommen und schieden ebenda auf das freundschaftlichste voneinander.

Den ganzen Abend noch grübelte ich über den Genossen aus der Lebensmittelbranche. Läuft doch dieser Mensch hinter mir her, kommt ganz von Atem, tritt seine Sandalen schief. Und warum? Weswegen? Nur, um mir zu sagen, wie ich richtig und bequem zu gehen habe. War von ihm wirklich edel und selbstlos.

Jetzt, nach Leningrad, sozusagen in den kühleren Norden zurückgekehrt, komme ich auf den Gedanken: Weiß der Teufel! Vielleicht wollte er nur eine Zigarette bei mir schnorren. Und ist dieserhalb hinter mir dreingerannt. Oder vielleicht hatte er einfach Langeweile, allein des Wegs zu ziehen. Und hat also nur einen Wandergenossen gesucht. Oder? Wer weiß es.

Ich bin bis heute nicht dahintergekommen!

Der Papagei

Gegenwärtig, Brüderchen, haben wir doch ein herrliches Leben! Das Essen, jedenfalls, ist gut! Sauerkrautsuppe! Oder sonst etwas in der Art! Auch Fleisch gibt's wieder! Und manch einem bäckt an den Feiertagen die Ehefrau sogar Pirogen mit Kraut! Ist das nicht herrlich?

Bei solch einer Kost, Brüderchen, haben wir schon vergessen, was Hunger ist. Wir haben vergessen, wie uns früher der Magen knurrte. Denn gehungert haben wir, Brüderchen – seinerzeit! Selbst Brot war eine Seltenheit. Ja, man kann sich das schon gar nicht mehr vorstellen.

Übrigens haben, wir wissen's ja, nicht alle gehungert. Die Bauern, die Leute auf dem Lande, die lebten nicht schlecht. Aber auch alles brachte man ihnen aus der Stadt: Musikinstrumente, prachtvolle Stickereien, Teppiche und andere Kostbarkeiten!

Und wie warf sich die Stadt vor dem Dorf in die Knie! Bis zur Erde verbeugte sich der Städter vor dem Bäuerlein. Unser Bauer aber, Brüderchen, ist ein Schelm. Das muß in aller Güte gesagt werden. Ach, und was für ein Schelm!

Meine Ehefrau, wissen Sie, ein gefallsüchtiges, eitles Weibchen, fuhr eines Tages mit einem Spiegel aufs Land. So ein nicht allzu großes Spiegelchen war's. Im Goldrahmen. Aber das Gesicht konnte man aus der Nähe gut darin betrachten.

Sie fuhr also mit dem Spiegel, Brüderchen. Gedachte, dafür vielleicht ein kleines Pudchen Mehl einzutauschen. Für die Feiertage. Jammerte sogar noch bei der Abfahrt, die Dumme: „Ach, wie werde ich die schwere Last nur tragen können?"

Sie kam ins Dorf. Ach, du liebes Gottchen: Uhren, Spiegel, Klaviere – in jeder Hütte! Und sie steht da mit ihrem winzigen Spiegelchen.

Sie wagte sich aber doch noch in eine Bauernhütte. Sechs Hühnereier bietet man ihr. In der zweiten Hütte – wieder sechs Hühnereier. Ach! – denkt sie – das ist ein Reinfall!

„Wie soll ich denn" – sagt sie zu den Bauern – „die Hühnereier heil und ganz heimbringen? Gebt mir doch wenigstens Graupen oder Grütze dafür! Oder etwas Mehl!"

Sie tun es nicht.

„Nein!" sagen sie. „Der offizielle Tarif sind Hühnereier." So kehrte denn meine Frau mit leeren Händen heim.

Einem Bäuerlein übrigens gefiel der Spiegel gut. „Ach!" – sagt er – „schade, daß es so klein ist, dein Spiegelchen. Ich würde sonst sogar den Tarif überschreiten und dir Buchweizengrütze geben. Aber der Spiegel ist zu klein! Ich" – sagt er – „brauche so einen, wo man auch die Füße drin sehen kann!"

Wozu aber, Brüderchen, braucht er seine Füße zu sehen? Ach, ein Schelm von einem Bauern!

Ich selbst bin auch einmal aufs Land gefahren. Hinter Wologda. Muß heute noch lachen, wenn ich daran denke.

Ich führte nämlich einen Papagei ins Dorf.

Ich wäre ja um keinen Preis gefahren, aber meine Frau wollte es partout.

Meine Frau, wissen Sie, die Schleckerin, hatte ein Gelüst auf Brot mit ukrainischem Schweineschmalz. Plagte mich unaufhörlich mit ihren Bitten: „So fahr doch schon!"

Und die Nachbarn meinten auch: „Fahren Sie nur, Semjon Semjonytsch! Sie haben ja ein großes Mundwerk. Sie werden die Bauern schon beschwatzen!"

Was sollte ich also tun?

Ich fuhr.

Vor der Abfahrt aber überlegten wir hin und her, was man ins Dorf mitnehmen sollte. Die einen meinten: Bänder, Spitzen. Die anderen: Einen recht bunten Baumwollstoff zum Sarafan. Je bunter, desto besser. Und die dritten gar: Glasperlen für Halsketten! Als ob's zu den Wilden nach Afrika ginge, meiner Seel!

Ich ging auf den Trödelmarkt. Dachte mir: Kaufst dir halt etwas, was gleich ins Auge fällt.

Sitzt da auf dem Trödelmarkt, stellt euch bloß vor, eine überaus vornehme Dame, vielleicht sogar eine ehemalige Gräfin, und handelt mit allerlei altem Haushaltsgerümpel. Vor ihr ein Käfig – und in dem Käfig ein Papagei. Der Papagei sitzt im Ring, wiegt sich hin und her und krächzt auf französisch: Charmant, charmant! Was, ins Russische übersetzt, etwa ‚ausgezeichnet' heißen soll.

Also, Brüderchen, ich kaufte den Vogel auf der Stelle. Samt Käfig. Und sehr billig. Nicht direkt für ein Butterbrot. Aber in Brot gerechnet, gab ich dafür – ich weiß es nicht mehr genau – acht oder zehn Pfund.

Und fuhr gleich darauf ab ins Dorf. Im Güterwagen, wie es Brauch dazumal. Ich erinnere mich noch: kaum daß ich drin war, erhob sich großes Geschrei und Gelächter.

„Wohin führst du den Vogel?" fragt man mich. „Wozu?"

„Aufs Land" – sage ich –, „Brot dafür einzutauschen. Was, meint Ihr wohl, wird man mir für den Papagei in dieser Gegend geben? Was ist der Tarif? Damit man mich nicht übers Ohr haut!"

Alles lachte. „Die Ware" – sagt man – „ist nicht recht marktgängig!"

Doch schon im Wagen bot mir ein Aufkäufer ein halbes Pud Gerstengrütze für den Vogel. Dafür gab ich ihn nicht her.

Ich kam ins erste Dorf. Im Nu war ich von einer ganzen Volksmenge umringt. Alles lacht. Die Kinder kichern und jauchzen, necken den Vogel mit ihren Gerten. Blasen ihm ins Gefieder.

Nu – denk ich – die Ware gefällt.

Ich fing an mit einem Bauernweib zu handeln, und wir waren uns schon fast einig. Da erschien irgend so ein Invalide und mischte sich ein.

„Halt, Brüderchen!" sagte er. „Das ist ja Betrug! Der Papagei ist gar nicht echt! Ein echter Papagei schreit Dummkopf oder Depp, dieser aber spricht nur etwas ganz Unverständliches."

Nun, er hat mir das schöne Geschäft verpatzt, der verfluchte Invalide! Nur ein Pud noch wollte die Frau mir geben.

Ich zog also weiter. Im nächsten und übernächsten Dorf wollten sie von einem Papagei nichts wissen. Sie lachen, blasen ihm ins Gefieder, aber kaufen wollen sie den Vogel nicht.

Manche hätten ihn schon gekauft, aber sie nahmen es mir alle übel, daß der Vogel nicht Depp oder Dummkopf auf russisch sagen konnte.

Zwei Tage, meine lieben Brüderchen, bin ich mit dem Vogel durch die Dörfer gezogen. Hetzte mich unsagbar müde und matt. Ohne Erfolg. Jetzt hätte ich den Papagei sogar für ein halbes Pud hergegeben. Aber man bot mir auch nicht einmal das.

„Sieht krank aus, dein Vogel!" sagten sie.

Und wahrhaftig, der Vogel ließ den Kopf hängen. Man bedenke nur: die lange Reise, das ewige Blasen ins Gefieder. Und außerdem hatte ich selbst zweimal den Käfig fallen lassen.

Da gab mir ein Alterchen den Rat, tiefer ins Land zu gehen, in ein abseits gelegenes Dorf. „Denn hier" – sagte er –, „an der Eisenbahnlinie, ist das Volk gar zu verwöhnt. Weiß selber nicht, was es will."

Ich ging also tiefer ins Land. Der Weg war entsetzlich lang. Dazu eine Hitze! Der Staub kriecht in die Nase und verschlägt einem den Atem. Und ich sehe, auch mein Vogel ist zu Tode erschöpft. Ist vom Ring heruntergestiegen, hockt traurig auf dem Boden und will nicht einmal mehr Brot fressen.

Ach herrje! denke ich mir. Wenn er nur nicht vor der Zeit krepiert! Sieht schon gar zu elend aus! Das wäre wirklich blöd.

So treibe ich mich selbst zu allergrößter Eile an. Und am Abend komme ich endlich in ein bettelarmes Dorf.

„Kopf hoch!" sage ich zum Papagei und trete in die erste Hütte ein und frage: „Brauchen Sie nicht einen Papagei?"

„Aber freilich!" ist die Antwort. „Nur her damit! Was soll der Vogel kosten?"

Ich zeige auf den Käfig. Da liegt mein Papagei tot auf dem Rücken und hat die Beinchen an den Bauch gezogen.

Das Bäuerlein natürlich war beleidigt. „Was? Mit krepierten Vögeln willst du handeln?"

Ach, Brüderchen, mir kamen beinahe die Tränen. Fast heulend warf ich den toten Vogel aus dem Käfig, und auch den Käfig schmetterte ich auf den Boden. Das Bäuerlein aber hielt sich die Seiten.

„Mach den Käfig nicht kaputt!“ sagt er. „Ich gebe dir sechs Hühnereier dafür!“

Und das tat er dann auch.

„Ach!“ sagt er. „Jammerschade, daß dein Vogel krepiert ist. Ich hätte dir“ – sagt er – „vier Pud Mehl für den Lebenden gegeben. Papageien, mußt du wissen, gefallen mir sehr!“

Anderntags in der Früh trat ich den Heimweg an. Zum Tauschhandel ins Dorf bin ich nie wieder gefahren.

Das Gastspiel in der Provinz

Vieles habe ich schon in meinem Leben versucht – aber seht, Zirkuskünstler war ich noch nie. Einmal hat mich das Publikum zwar für einen Verwandlungskünstler gehalten.

Ich weiß nicht, wie es heute ist, aber früher reisten solche Verwandlungs-Spezialisten durch ganz Rußland. Sie traten auf die Bühne, verneigten sich tief vor dem Publikum, verschwanden einen Augenblick hinter den Kulissen und erschienen dann wieder – aber dieses Mal in einer anderen Rolle, in einem anderen Gewand und mit einer anderen Stimme sich ankündigend.

Seht, für solch einen Verwandlungskünstler hat man mich einmal gehalten!

Das war im Jahre 20 oder 21.

Das Brot war damals schrecklich teuer. Für ein Pfund Brot zahlte man in Leningrad drei Handtücher, zwei Bettlaken oder eine dreireihige Harmonika.

Und eben darum verließen auf der Suche nach einem etwas billigeren Brot der expressionistische Dichter Nikolai Iwanow, die Pianistin Marussja Grekowa, der lyrische Poet Dmitrij Zensor und ich im Herbst Leningrad.

Wir hatten uns entschlossen, mit einem bunten musikalisch-literarischen Programm eine ganze Reihe der südlichen Sowjetstädte zu bereisen. Wir wollten uns mit unserer „reinen Kunst", ein gutes Stück Kommißbrot verdienen.

Und so reisten wir, versehen mit verschiedenen Dokumenten und Erlaubnisscheinen, Ende September im Viehwagen von Leningrad ab und nahmen Kurs auf den Südosten.

Wir fuhren sehr lange.

Während der Reise verteilten wir ganz genau die Rollen und besprachen umständlich das Programm: Als erste Nummer sollte Marussja mit einigen leichten Musikstücken auftreten und dem ganzen Abend sozusagen den richtigen künstlerischen Ton geben. Als zweite Nummer kam der Expressionist. Er sollte unser Programm komplizieren und mit seinen Dichtungen zu verstehen geben, daß die reine Kunst dem Volke nicht immer erreichbar ist. Danach kam ich mit einigen humoristischen Erzählungen. Und zum Schluß der lyrische Poet, Dmitrij Zensor. Er hatte unserem Programm den letzten Glanz zu geben und so den Eindruck eines geistreichen, spritzigen Abends zu bekräftigen.

Das Programm war wirklich ausgezeichnet zusammengestellt.

„Genossen!" – sagte der Expressionist. – „Wir haben als erste in Sowjetrußland den richtigen Weg beschritten. Wir gehen bewußt ins Volk! Wir fassen Wurzel in den dumpfesten Massen! Mit diesem Programm werden wir beweisen, daß die reine Kunst nie zugrunde geht. Denn hinter uns wird das Volk stehen!"

Die Pianistin hörte schweigend zu und übte mit ihren Fingerchen irgendein schwieriges Motiv auf den Knien.

Ich trank indessen Tee und rauchte einen verteufelt schlechten Knaster und spuckte traurig den beizenden grünen Saft auf den Fußboden.

Der Poet Dmitrij Zensor aber sagte nachdenklich: „Die reine Kunst ist dem Volke unentbehrlich . . .

Man wird uns warme, duftende Brotlaibe bringen, Blumen, hartgekochte Eier . . . Geld wollen wir gar nicht nehmen . . . Zum Teufel mit dem Geld, da man jetzt doch nichts kaufen kann . . ."

Endlich, am 29sten – es regnete unaufhörlich – kamen wir in einer kleinen Provinzstadt an.

Auf dem Bahnhof empfing uns freundlich der Agent der

Kriminalpolizei. Er las lange und aufmerksam unsere Erlaubnisscheine durch und legte dann die Hand an die Mütze – so scherzhaft die russische Literatur willkommen heißend.

Er teilte uns insgeheim mit, daß er selbst den Intelligenzschichten entstamme und daß er seinerzeit zwei Klassen des dortigen weiblichen Progymnasiums absolviert habe und eben darum nicht abgeneigt sei, sich zwischen zwei Protokollen an der reinen Kunst zu erfreuen. Er versprach uns, auf jeden Fall zu unserem literarischen Abend zu erscheinen.

Wir quartierten uns bei Marussjas Bekannten ein.

Der erste Tag ging mit Laufereien und Plackereien im Nu vorbei. Wir mußten die Erlaubnis zum Auftreten einholen, den Saal mieten und die Abmachungen mit dem Veranstalter treffen.

Der Veranstalter war ein schlauer, gewandter Bursche. Er beharrte kategorisch auf seiner Meinung, daß die reine Kunst allein kaum dem Provinzpublikum verständlich sein würde und es deshalb unbedingt notwendig sei, unser literarisches Programm durch einige leichtere Darbietungen aufzulockern, durch artistische Kunststückchen zum Beispiel.

Das verdarb natürlich unser Programm. Doch stritten wir uns nicht weiter mit ihm herum – wir hatten ja keinen anderen Ausweg.

Die Veranstaltung wurde auf den folgenden Abend festgesetzt. Im ehemaligen Kaufmannsklub.

Am 30. September, um acht Uhr abends, saßen wir, vor Lampenfieber glühend, in der eigens für uns eingerichteten Garderobe hinter den Kulissen.

Der Saal war bis auf den letzten Platz besetzt. Vielleicht hundert Rotgardisten, eine Unmenge Hausfrauen, die städtische weibliche Jugend, Beamte und Leute aller möglichen Berufe erwarteten voller Ungeduld den Beginn der Vorstellung. Sie klatschten in die Hände und forderten das Hochziehen des Vorhanges.

Zuallererst spielte ein Trio. Danach traten ein Jongleur und ein Exzentriker auf. Die beiden hatten großartigen Erfolg. Das Publikum lärmte und brüllte und rief endlos nach ihnen.

Danach kamen unsere Nummern. Marussja Grekowa trat in einem hochgeschlossenen schwarzen Kleid auf.

Als Marussja auf der Bühne erschien, ging durch das Publikum eine unerklärliche Bewegung. Die Leute standen von ihren Plätzen auf und sahen scharf auf die Pianistin. Manche lachten.

Marussja setzte sich einigermaßen befangen an das Klavier, spielte irgendein kurzes Stück und wartete dann auf den ermunternden Beifall. Aber keine Hand rührte sich.

In schrecklicher Verwirrung verschwand Marussja hinter den Kulissen.

Unmittelbar nach ihr trat der Expressionist auf. Der rauschende Applaus bei seinem Auftreten, die freundlichen Zurufe und das Beifallsgemurmel wollten schier kein Ende nehmen.

Geschmeichelt über so viel Beachtung, sogar in diesem kleinen Provinznest, verneigte sich der Expressionist fast zu Boden und drückte pathetisch die Hand aufs Herz.

Er las dann einige giftige, aber verworrene Verschen und ging in starker seelischer Erregung ab – Applaus gab es wieder nicht. Es rührte sich buchstäblich keine einzige Hand.

Als dritter trat ganz verstört ich selbst auf. Noch länger anhaltende freudige Zurufe empfingen mich.

Die Leute auf den hinteren Plätzen sprangen auf die Bänke, bedrängten die vor ihnen Sitzenden und starrten mich wie ein Meerwunder an.

„Zünftig!“ schrie jemand. „Zünftig, Brüderchen, macht er das!“

„Schaut doch nur, so ein Schweinehund!“ – schrie ein anderer, vor Begeisterung kreischend.

Ich las in schrecklicher Angst um mein weiteres Schicksal, stammelnd und stotternd und die Hälfte verschluckend, meine Geschichte herunter. Das Publikum hörte geduldig meinem Gestammel zu und ermutigte mich sogar durch vereinzelte Zurufe.

„Ach, schaut doch nur, wie den die Flöhe beißen!“

„Los, Brüderchen! Zieh vom Leder! Lustiger, lustiger!“

Kaum daß ich mit meiner Geschichte fertig war, ging ich ab, mühsam Schritt vor Schritt setzend. Beifall gab es, wie die beiden Male zuvor, wieder nicht. Nur ein langer Rotgardist stand auf und sagte: „Ach, seht doch diesen Hundesohn, wie er geht! Schaut doch, Brüderchen, wie er sich spreizt!“

Als letzter kam der Lyriker an die Reihe. Er wollte überhaupt nicht auftreten. Er heulte fast wie ein Schoßhund und redete sich auf Bauchschmerzen hinaus. Er meinte, daß er sich noch gar nicht an diese Stadt und an ein solches Auditorium gewöhnt habe. Der Poet klammerte sich an die Kulissen – doch wir zerrten und stießen ihn, brüderlich verbunden, auf die Bühne hinaus.

Wilder Applaus und begeistertes, anerkennendes Fluchen erschütterten sogleich den Saal. Das Publikum brüllte und wollte sich ausschütten vor Lachen. Viele stürzten zur Bühne und sahen sich mit unbeherrschter Neugierde den lyrischen Poeten an.

Der Arme war einer Ohnmacht nahe. Er lehnte sich, eine Stütze suchend, gegen den Flügel und blieb so, ohne ein Wort zu sagen, fünf Minuten lang stehen. Dann gab er sich einen Ruck, öffnete den Mund – und kroch auf allen vieren, mehr tot als lebendig, hinter die Kulissen zurück.

Der Beifall wollte kein Ende nehmen. Jemand schlug beharrlich mit den Absätzen auf den Fußboden. Ein anderer schrie wie rasend nach Wiederholung.

Wir schlossen uns ganz vernichtet in unsere Garderobe ein, hockten wie die Unglücksraben da und horchten auf das Lärmen des Publikums.

Unser Veranstalter lief vor uns auf und ab und schaute voller Schrecken auf unsere trostlosen Figuren.

Der Expressionist, der schmerzlich die Lippen eingekniffen hatte und in grenzenloser Verlorenheit auf dem Diwan saß, warf plötzlich seine Haarsträhne zurück und sagte entschlossen: „Mich wird man erst in fünfzig Jahren verstehen. Nicht früher! Meine Gedichte passen nicht hierher. Ich sehe das jetzt ein!“

Marussja Grekowa weinte leise vor sich hin, das Gesicht in die Hände vergraben.

Der lyrische Poet stand wie eine Bildsäule da und horchte angestrengt auf das Schreien und Brüllen im Zuschauerraum.

Ich begriff überhaupt nichts mehr. Oder, richtiger gesagt: ich dachte, daß die reine Kunst das Volk begeistert habe, wenn auch in einer seltsamen und mir unbegreiflichen Art und Weise.

Das Lärmen nahm immer noch kein Ende.

Plötzlich hörten wir eilig laufende Schritte hinter den Kulissen, und gleich drauf stürzten einige Leute aus dem Publikum in unsere Garderobe.

„Wiederholen! Wiederholen!“ – schrie, freudig mit den Händen fuchtelnd, der eine.

Wir waren starr.

Mit leise begütigender Stimme sagte der Veranstalter: „Genossen . . . Nur keine Aufregung, bitte . . . Seien Sie unbesorgt . . . Es wird gleich geschehen . . . Was wünschen Sie denn eigentlich?“

„Der, wo soeben auftrat“ – sagte der Bürger –, „soll wiederholen! Wir bitten als Abgesandte des ganzen Publikums . . . Welcher ist denn der Verwandlungskünstler? Ja, ja, der mit den Verkleidungen . . .“

Plötzlich ging uns allen ein Licht auf. Man hatte uns vier für den Verwandlungskünstler Jakimow gehalten, der schon im vergangenen Jahr in dieser Stadt aufgetreten war. Heute sollte er gleich nach uns kommen.

Ganz betäubt zogen wir uns mechanisch unsere Mäntel an und verließen den Klub. Am anderen Tag reisten wir ab.

Die zierliche blonde Pianistin, der fadenlange Expressionist, der dickliche und rotbackige lyrische Poet und ich – in der Tat, wir vier haben dem Provinzpublikum das Wunder der Verwandlungskunst glanzvoll gezeigt.

Aber Blumen, gekochte Eier und ehrenvolle Titel – haben wir im Volke dennoch nicht eingeheimst. Wir werden darauf noch ein wenig warten müssen!

Vier Tage

Krieg und Schützengräben, Genossen, machen sich jetzt an uns bemerkbar. Alle sind wir ungesund und krank.

Bei dem einen sind's die Nerven. Dem anderen tut der Bauch weh. Beim dritten schlägt das Herz nicht so mathematisch genau, wie es eigentlich soll. Das sind doch alles Resultate!

Über die eigene Gesundheit kann ich eigentlich nicht klagen. Bin gesund. Und futtere nicht zu knapp! Auch der Schlaf ist nicht schlecht. Ich fürchte bloß, daß sich auch bei mir jeden Augenblick die Schützengräben melden könnten . . .

Unlängst zum Beispiel stehe ich in der Frühe auf. Und ziehe mir – ich weiß es noch wie heute – die Stiefel an. Da sagt meine Gattin: „Was ist denn mit dir, Wanja?“ sagt sie. „Du bist ja ganz grau im Gesicht. Ungesund“ – sagt sie – „ist heute dein Teint.“

Ich schaue in den Spiegel. Tatsächlich – aschfahl die Schnauze.

Da haben wir den Salat! denke ich. Die Schützengräben melden sich . . . Sicher funktioniert mein Herz oder sonst irgendein wichtiges Organ nicht mehr richtig. Und davon bin ich eben aschgrau im Gesicht.

Ich taste den Puls ab. Er geht leise, aber er geht. Im Innern jedoch fühle ich deutlich einen dumpfen Schmerz. Etwas tut unverkennbar weh.

Bedrückt und niedergeschlagen habe ich mich angezogen und bin, ohne Tee zu trinken, zur Arbeit gegangen.

Ich gehe also zur Arbeit. Denke: Wenn noch so'n Teufel etwas über meinen Teint und mein Aussehen sagt, gehe ich unbedingt zum Arzt. Denn was kann nicht alles geschehen? Der Mensch lebt und lebt, und plötzlich – bums! – ist er tot. Kommt oft vor.

Fünf Minuten vor elf – ich weiß es noch wie heute – kommt der Obermeister Schitkow zu mir und sagt: „Iwan Fedorowitsch,

Täubchen, was ist denn mit dir? Elend" – sagt er – „schaust du aus. Hast eine erdgraue Gesichtsfarbe."

Diese Worte trafen wie ein Messerstich mein Herz. Heilige Mutter! – denke ich. Aus ist's mit der Gesundheit! Jetzt ist's soweit! Jetzt hat's mich erwischt!

Und schon beginnen die dumpfen Schmerzen wieder. Übel ist mir zumute. Kaum daß ich nach Hause kriechen konnte. Ich wollte sogar schon die „Schnelle Unfallhilfe" anrufen.

Bin dann doch irgendwie heimgekrochen und ins Bett gefallen. Liege da. Meine Frau heult und ist tief betrübt. Die Nachbarn kommen und seufzen.

„Nu!" sagen sie. „Ein Aussehen hast du, Iwan Fedorowitsch. Nicht zu sagen! Das ist ja kein Teint mehr. Und aschfahl – kein Ausdruck mehr dafür!"

Bemerkungen – wie Messerstiche ins Herz!

Ich liege da, steif wie ein Brett. An Schlaf ist nicht zu denken.

Am nächsten Morgen stehe ich auf, müde und zerschlagen wie ein alter Köter, und lasse schleunigst den Arzt kommen.

Der Kommunalarzt kommt und sagt: „Simulation!"

Ich hätte ihn beinahe totgeschlagen dafür.

„Ich" – sage ich – „werde dir schon zeigen, was das für eine Simulation ist! Ich" – sage ich – „werde mich gleich um meine teuren Rubelchen bringen und zum Professor selbst hinfahren!"

Ich treffe also meine Vorbereitungen. Ziehe saubere Wäsche an. Rasiere mich. Fahre mit dem Rasiermesser über die Wange, wische den Seifenschaum ab und sehe – die Wange hat auf einmal einen ganz gesunden Teint. Ist weiß und rosig.

Sogleich reibe ich die ganze Physiognomie mit einem Lappen ab. Wahrhaftig. Die graue Gesichtsfarbe ist radikal weg!

Meine Frau kommt hinzu und sagt: „Hör mal, Wanja, du hast dir wohl eine ganze Woche lang die Visage nicht gewaschen?"

„Eine ganze Woche?" – sage ich. „Das kann nicht sein. Blöde Gans, blöde! Aber vier Tage" – sage ich –, „das stimmt vielleicht!"

In unserer Küche nämlich ist's kalt und ungemütlich. Da vergeht einem alle Lust, sich zu waschen. Und als erst das Geschrei anfing, die Ach und Oh über mein miserables Aussehen, da war es mir überhaupt nicht mehr danach zumute. Gerade noch, daß ich ins Bett kriechen konnte . . .

Im Nu war ich gewaschen und rasiert. Habe mir einen Schlips umgeknöpft und bin strahlend und frisch wie ein Äpfelchen zu meinem Busenfreund gegangen. Die Schmerzen waren wie weggeblasen. Und das Herz schlägt jetzt wieder – wie es sich gehört!

Man kann dabei noch leben

Der Ofen bei uns ist schlecht. Meine Familie erstickt jedesmal, wenn er brennt. Und die Hausverwaltung – hol sie der Teufel! – weigert sich, die Reparatur auszuführen. Sie spart. Für die nächsten Unterschlagungen.

Neulich sahen sie sich meinen Ofen an. Steckten sogar den Kopf in die Ofenluken.

„Nein!“ sagen sie. „Der geht noch. Man kann dabei noch leben!“

„Genossen“, sag ich, „es ist eine Schande, solche Worte auszusprechen. Neulich ist sogar unsere Katze fast draufgegangen!“

„Also“, antworten da diese Teufel von Hausverwaltern, „machen wir mal gleich das Experiment! Ersticken wir nach dem Einheizen, habt Ihr Glück! – Dann werden wir den Ofen umsetzen lassen. Ersticken wir nicht, dann werden wir uns fürs Einheizen entschuldigen!“

Wir heizten den Ofen ein. Und ließen uns rundherum nieder. Sitzen also und schnüffeln. An die Ofenklappe hatte sich der Vorsitzende gesetzt, ebenda der Sekretär Gribojedow und auf mein Bett der Kassierer.

Bald darauf begann der Kohlendunst sich im Zimmer zu verbreiten. Der Vorsitzende schnüffelte ein wenig mit der Nase in der Luft und sagte: „Nein, man merkt nichts! Es geht nur so eine warme Luft daher und sonst nichts!“

Der Kassierer, diese Kröte, meint: „Eine durchaus anständige Atmosphäre hier! Man kann sie riechen. Der Kopf wird davon nicht schwächer. Bei mir“, sagt er, „in der Wohnung stinkt's viel mehr. Und ich heize wirklich nicht ohne Grund! Aber hier ist die Luft vollkommen normal.“

„Ja, aber wieso denn normal?“ sag ich. „Erbarmt euch! Schaut doch nur, wie der Rauch herausströmt!“

„Rufen Sie mal die Katze“, gibt der Vorsitzende zur Antwort. „Wenn die ruhig sitzenbleibt, gibt's sicher keinen Dunst. Tiere sind in solchen Dingen immer unparteiisch!“

Es kommt die Katze und setzt sich aufs Bett. Und sitzt ganz still. Klar, weil sie an den Kohlendunst schon gewöhnt ist!

Plötzlich kippt der Kassierer um. „Ich muß fort“, sagt er, sich mühsam aufrappelnd. „Wissen Sie, ich habe noch ein wichtiges Geschäft zu erledigen.“ Und dabei ist er ganz grün und kann sich kaum noch auf den Beinen halten.

Der Vorsitzende sagt: „Wir gehen alle gleich!“ Und schiebt sich mit diesen Worten ans Fenster und atmet durch die Ritzen.

Ich zog ihn vom Fenster weg. „So“, sage ich, „kann man kein Gutachten abgeben, Genosse!“

„Bitte!“ antwortet er. „Ich kann auch vom Fenster weggehen. Mir bekommt eure Luft durchaus gut. Sie ist wie Naturluft, gut für die Gesundheit! Die Reparatur kann ich Ihnen nicht machen. Der Ofen ist in Ordnung! . . .“

Nach einer halben Stunde, als man den Vorsitzenden auf die Tragbahre in den Wagen der „Schnellen Unfallhilfe“ schob, fing ich noch einmal an. „Nun, wie ist es?“ frag ich.

„Nein“, sagt er. „Man kann dabei noch ganz gut leben!“

So haben sie die Ofenreparatur auch nicht gemacht.

Die Badstube

Die Badstuben bei uns sind nicht schlecht. Baden kann man auf jeden Fall. Nur mit den Kontrollnummern ist es ein wahres Kreuz.

Vergangenen Samstag ging ich in die Badstube. Zwei Nummern gab man mir da: eine für die Wäsche, die andere für Mantel und Mütze.

Wo aber soll ein splitternackter Mensch seine Nummerchen hintun? Geradheraus gesagt: nirgends! Taschen sind keine da. Rundum nur Bauch und Beine! Ein wahres Unglück mit diesen Kontrollmarken! An den Bart kannst du sie nicht binden!

Nun, ich befestigte sie an den Beinen: an jedes Bein ein Nummerchen, um nicht beide auf einmal zu verlieren. Und ging in den Baderaum hinein.

Die Nummerchen klappern und behindern das Gehen. Doch gehen muß man. Du mußt dir ja einen Zuber holen. Denn ohne Zuberchen – was wäre das schon für ein Waschen? Ein wahres Kreuz!

Ich suchte also einen Zuber. Und sehe, ein Genosse wäscht sich gleich in dreien. In dem einen steht er, im zweiten seift er sich den Schädel ein, den dritten aber hält er krampfhaft mit der linken Hand, damit keiner ihn klaue.

Ich langte nach diesem dritten Zuberchen – aber der Genosse ließ nicht los.

„Was fällt denn dir ein!“ schreit er. „Fremde Zuber zu mausen! Wenn ich“ – sagt er – „dir mit dem Zuberchen eins klebe, wird's kein Spaß für dich!“

„Was sind denn das für neue Moden!“ erwidere ich. „Mit Zuberchen zuzuschlagen! Welch krasser Egoismus!“ sage ich. „Andere wollen sich doch auch waschen!“

Er aber dreht mir den Hintern zu und wäscht sich weiter.

Ich kann ihn ja nicht ewig belauern, denke ich mir. Jetzt wird er sich, überlege ich, absichtlich drei Tage lang waschen.

Und ging also weiter.

Nach einer Stunde sehe ich, hält da irgend so ein Onkelchen Maulaffen feil. Gafft vor sich hin und hat sein Zuberchen losgelassen. Sei es, daß er sich nach seiner Seife bückte oder tief in Gedanken versunken war – jedenfalls holte ich mir das Zuberchen.

Jetzt habe ich also einen Zuber – aber keine Sitzgelegenheit. Und sich stehend waschen, was ist das schon für ein Waschen? Ein wahres Kreuz!

Gut! Ich stehe also. Wasche mich stehend und halte das Zuberchen mit der Hand fest.

Um mich herum aber, Ihr Heiligen Väter, eine wahre Orgie des Waschens! Der eine wäscht seine Beinkleider, der zweite schrubbt die Unterhosen, der dritte windet sonst was aus. Kaum hat man sich sauber gewaschen, ist man schon wieder schmutzig, denn sie spritzen um sich wie die Teufel! Und von all dem Schrubben und Bürsten ist ein solcher Lärm, daß man die Lust am Waschen verliert. Man hört selbst kaum, wo man die Seife hinreibt! Ein wahres Kreuz!

Nun! – denke ich – hol sie alle der Teufel! Ich werde mich zu Hause zu Ende waschen!

Und gehe in den Vorraum. Man reicht mir auf meine Kontrollnummer die Wäsche. Ich sehe sie mir an: Ja, alles ist richtig! Nur die Hosen gehören mir nicht.

„Genossen!“ sage ich. „In meiner Hose war das Loch hier, in dieser ist es aber ganz woanders!“

Darauf der Bademeister: „Wir sind hier nicht angestellt, um auf eure Löcher zu achten. Sind hier nicht im Theater“, sagt er.

Auch gut! Ich ziehe mir die Hosen an und gehe dann den Mantel holen. Doch sie geben den Mantel nicht heraus, verlangen die Kontrollnummer. Das Nummernschildchen aber habe ich am Fuß vergessen. Muß mich also wieder ausziehen. Ich lasse die Hose herunter, suche das Nummernschildchen . . . kein Nummerchen ist da . . . Das Schnürchen ist noch am Bein – das Pappstückchen ist weg.

Ist futsch! Abgewaschen!

Ich gebe dem Bademeister die Schnur – doch er nimmt sie nicht.

„Auf die bloße Schnur" – sagt er – „kann ich nichts aushändigen. Da könnte ja jeder Genosse mit einem Haufen Schnürchen daherkommen! So viele Mäntel" – sagt er – „gibt es gar nicht! Wart" – sagt er –, „bis das Publikum weg ist, dann gebe ich dir, was übrigbleibt!"

„Aber Brüderchen!" erwidere ich. „Wenn dann nur ein Lumpenzeug übrigbleibt? Gib mir schon den Mantel nach den besonderen Kennzeichen. Eine Tasche" – sage ich – „ist nämlich zerrissen; die andere fehlt ganz und gar. Und was die Knöpfe betrifft: der oberste allein ist übrig, die unteren sind nicht mehr vorhanden!"

Darauf händigte er mir tatsächlich den Mantel aus. Und nahm nicht einmal das Schnürchen.

Ich zog mich an und trat hinaus auf die Straße. Plötzlich erinnere ich mich: ich habe ja meine Seife vergessen!

Ich kehre also wieder um. Aber im Mantel werde ich nicht hineingelassen. „Ausziehen!" heißt es.

„Genossen!" sage ich. „Ich kann mich doch nicht zum dritten Mal ausziehen! Wir sind nicht im Theater!" – sage ich. „Geben Sie mir wenigstens den Gegenwert der Seife!"

Nein. Sie tun es nicht.

Na, dann eben nicht!

Ich ging ohne Seife heim.

Natürlich wird der pedantische Leser neugierig wissen wollen: Was ist denn das für eine Badstube? Wo befindet sie sich?

Was für eine Badstube? Nun, eine ganz gewöhnliche. Der Eintritt für einen Groschen!

Selbstkritik

Ich sag's ganz offen – ich hielt früher nicht viel von der Selbstkritik. Ich hatte kein großes Vertrauen dazu. Mit einem Wort, ich befürchtete, daß von der ganzen jetzt so gerühmten Selbstkritik nicht viel Gescheites herauskommen würde. Daß durch sie unsere dünngesäte und zartbesaitete Klassenschicht, die so bezeichnete Intelligenz nämlich, vollends verbittert würde. Durch die üblichen Anspielungen und Verdächtigungen: der eine sei sozusagen ein Spitzbub, der andere ein Bürokrat und der dritte überhaupt ein ausgemachter Schweinehund. Ich dachte, die auferlegte Selbstkritik würde ihre kleinen wunden Stellen und Schönheitsfehler zu einem Riesengeschwür aufreißen. Und wer da morgens in der Sparte „Selbstkritik" lesen muß, was schwarz auf weiß über ihn gedruckt steht, der – dachte ich – wird nicht mehr mit der gleichen Begeisterung an die Tagesarbeit gehen wie früher. Zumal das ja Menschen mit einem feinen Seelenleben sind. Sie werden sich sicher – dachte ich – nach ihrem geruhsamen früheren Leben zurücksehnen – ohne Selbstkritik und Selbstbezichtigungspflicht! Aber jetzt sehe ich plötzlich, daß es ganz anders gekommen ist.

Zweifellos sind viele zutiefst getroffen. Rollen sich wie die Igel in die eigenen Stacheln ein. Aber der ungeheure Nutzen der Selbstkritik ist im großen und ganzen doch unverkennbar!

Zum Beispiel nur ein Fall. Wohnt da in unserem Hause ein Genosse. Nun, hol's der Teufel, der Genosse F. Den vollen Namen wollen wir nicht nennen. Sonst wird er noch widerborstig. Und brockt uns 'ne Suppe ein. Oder stößt gar meinen Sprößling die Treppe hinunter.

Aber darum geht's hier nicht!

Also, es wohnt bei uns dieser Genosse F. Und er ist – muß noch gesagt werden – in unserem Hause so etwas wie ein Barometer.

Was immer sich in der Politik ereignet – an ihm ist's gleich abzulesen! Nach jedem Dekret schlägt er sich aus lauter Eifer fast tot. Es gibt eben solch schreckhafte Intelligenzler mit zartester Konstitution.

Als die Selbstkritik noch nicht Mode war, lebte er wie jeder andere Genosse. Ging zur Arbeit, aß, was der Kooperativ ausgab, und las Zeitungen.

Jetzt aber ist der Mensch wie umgekrempelt. Seitdem man die Selbstkritik eingeführt hat, ist unser Fedotow nicht wiederzuerkennen. Er ist ganz kribbelig und betriebsam geworden. Und kribbelig und betriebsam geht's auch in seiner Wohnung zu.

Zuallererst, sehen wir, trippelt seine Madame Fedoticha eiligst mit ihren dünnen Beinchen.

Was ist los? Wohin? Wozu diese Eile?

Sehen Sie, sie läuft schleunigst auf ihren zarten Füßchen, die Kinderfrau anzumelden, die sie schon längst für ihren Säugling engagiert, aber noch nicht registriert hat. Die Dame läuft also zum Sozialversicherungsamt. Zur gleichen Zeit aber – große Geschäftigkeit in der Wohnung! Es zieht ein junger Student ein, ein Verwandter der F's. Freiwillige Zwangseinquartierung sozusagen.

Warum denn das?

Die Nachbarn meinen: „Sie haben ein paar Quadratmeter verheimlicht, die ihnen gar nicht zustehen. Jetzt fürchten sie, daß das aufkommt. Unter dem strahlenden Lichte der Selbstkritik!"

Nun, wir notierten den jungen Burschen als ihren Neffen und warteten, was weiter wird.

Schon, sehen wir, kehrt die Fedoticha auf ihren dünnen Beinchen zurück. Kaum ausgeruht aber, läuft sie schon wieder die Treppe hinunter. Sie muß, wissen Sie, ihrem Hund eine Marke besorgen und die Hundesteuer entrichten. Sie haben nämlich einen Pudel. Keinen reinrassigen natürlich, aber doch so etwas wie einen Pudel. Dreißig Jahre schon läuft er ohne Hundemarke und ohne Steuer zu zahlen herum. Also muß man ihm rasch, rasch – noch ehe er an Altersschwäche krepiert – eine Marke besorgen. Wozu auch schummeln, wenn man das liebe Tierchen offen und ehrlich erhalten kann!

Fedoticha registriert das Hundchen, und zur gleichen Zeit sucht Genosse F. persönlich die Hausverwaltung auf. „Ach!“ sagt er. „Nach dem Dekret muß mein Bub längst in die Schule. Er wird heuer schon neun. Ich habe aber den Anmelde-Termin versäumt. Wenn daraus nur nichts Schlimmes wird! Es braucht's doch nur einer in die Zeitung zu bringen. Sozusagen: das Söhnchen von dem und dem besucht die Schule nicht. Dafür jagen sie mich noch aus dem Amt!“

Nun, man gab ihm die Bescheinigung, daß er die Termine unverschuldet versäumt habe, und er beruhigte sich wieder. Aber nicht für lange. Kommt alsbald schon wieder gelaufen, um sich zu erkundigen, ob man einen Drei-Röhren-Radioempfänger anmelden müsse – und was auf Schwarzhören stünde . . . Ist dann gleich weitergelaufen, den Apparat anzumelden.

Und unlängst sehen wir doch – geht unser Genosse F. mit seiner Fedoticha. Führt sie am Arm spazieren.

Hat man Worte! Sonst ging er mit dem Schürhacken auf sie los und warf mit harten Gegenständen nach ihr – – – Jetzt aber: Arm in Arm! Sozusagen ein trautes Familienleben. Ohne Mord und Totschlag.

Sind das nicht etwa große Fortschritte?

Freilich sind es nur kleinste Kleinigkeiten! Aber wenn das mit der Selbstkritik so noch weitergeht und tiefer dringt – dann, hol's der Teufel! – gibt es in unserem Lande bald keine Spitzbuben mehr!

Alle werden ehrlich sein und anständig! Einer wird dem anderen offen und mutig und mit Freuden ins Auge blicken! Und dann wird erst das Leben in seinem schönsten Glanze erstrahlen!

Bienen und Menschen

In einer Kolchose kam ein Rotarmist zu Besuch. Als Gastgeschenk brachte er seinen Verwandten ein Glas Bienenhonig mit. Und der Honig gefiel allen so gut, daß die Kolchosbauern beschlossen, eine Imkerei aufzuziehen.

Weit und breit aber befaßte sich niemand mit Bienenzucht. Die Kolchosbauern hätten ganz von vorne beginnen müssen: also die Bienenstöcke bauen, die Bienen im Walde einfangen und in die neuen Stöcke überführen . . .

Als die Kolchosbauern sahen, daß die Sache sehr langwierig und schwierig war, sank ihnen der Mut.

„Ach!“ – sagten sie – „welche Umstände! Das dauert ja viel zu lange! Bis dies und das geschieht, ist der Sommer ’rum! Und bis zum nächsten Jahr kriegen wir keinen Tropfen Honig zu sehen! Wir aber möchten schon heuer welchen haben!“

Nun lebte unter den Kolchosbauern ein prächtiger Mensch, ein gewisser Iwan Panfilytsch, ein nicht mehr ganz junger Mann von zweiundsiebzig Lenzen. Und dieser hatte in seinen jungen Jahren die Imkerei betrieben.

Der sprach also: „Wenn wir heuer noch Tee mit Honig trinken wollen, müssen wir dahin fahren, wo Bienenzucht betrieben wird, und einkaufen, was wir brauchen!“

Und die Bauern antworteten: „Unsere Kolchose – ist Millionär! Vor Geldausgaben ist uns nicht bange! Am besten, wir kaufen einen ganzen Bienenstand mit allem Drum und Dran. Denn die wilden Bienen aus dem Wald taugen womöglich nichts. Fabrizieren uns vielleicht nur so einen unverdaulichen Wald- und Tannenhonig. Wir aber möchten echten, aromatischen Blumenhonig!“

Man gab also Iwan Panfilytsch Geld und schickte ihn in die Stadt Tambow.

In Tambow sagte man ihm: „Das trifft sich gut! Bei uns sind drei ganze Dörfer nach dem Fernen Osten umgesiedelt worden. Die Imkerei allein ist dageblieben. Ihr bekommt sie fast geschenkt. Die Frage ist nur, wie Ihr die Bienen heimbefördert. Lockere Ware, sozusagen! Geflügelt obendrein! Es braucht ja nicht viel – und sie fliegen Euch in alle Winde davon! Und Ihr bringt nur die leeren Bienenstöcke und vielleicht noch ein paar Larven an den Bestimmungsort."

„Ich bringe sie schon irgendwie heim!" gab Panfilytsch zur Antwort. „Ich kenne ja das Bienenvolk. Hab' mein Leben lang mit ihnen zu tun gehabt!"

So brachte er auf zwei Pferdewagen sechzehn Bienenstöcke zum Bahnhof. Auf dem Bahnhof gelang es ihm, einen offenen Güterwagen zu ergattern. Auf diesem stellte er seine Bienenstöcke auf und bedeckte sie mit einer Zeltplane.

Bald darauf setzte sich der Güterzug in Bewegung. Und unser Bienenwagen rollte mit. Panfilytsch stand stolz mitten auf der Lore und unterhielt sich mit seinen Bienen. „Seid hübsch ruhig, Kinderchen!" sprach er. „Wir fahren jetzt nach Hause! Ihr müßt ein Weilchen im Dunkeln aushalten. Aber daheim lasse ich euch wieder zu den Blumen. Da kommt ihr schon zu dem Eurigen, meine ich! Hauptsache, daß ihr jetzt ruhig bleibt. Im Dunkeln. Ich hab euch ja mit Absicht mit der Zeltplane zugedeckt, damit ihr nicht aus Dummheit vom fahrenden Zug herunterfliegt. Auf den fahrenden Zug zurückfliegen, müßt ihr wissen, ist gar nicht so leicht!"

So fährt der Zug einen Tag. Fährt den zweiten. Am dritten Tag wurde Panfilytsch etwas unruhig. Zu langsam fährt ihm der Zug. Bleibt an jedem Stationshäuschen stehen. Steht stundenlang. Der Himmel mag wissen, wann er am Bestimmungsort eintreffen wird.

Auf der Station Polja stieg Panfilytsch von seiner Lore herunter und wandte sich an den Stationsvorsteher: „Sagen Sie, verehrter Genosse"? fragte er, „werden wir auf Ihrem Bahnhof hier lange stehen?"

Der Stationsvorsteher erwiderte: „Ich weiß es wirklich nicht. Vielleicht dauert es bis zum Abend!"

Sagt Panfilytsch: „Wenn bis zum Abend, dann nehme ich die Zeltplane ab und lasse meine Bienen auf eure Felder fliegen. Sie verschmachten mir sonst noch. Den dritten Tag schon sitzen sie unter der Zeltplane. Und haben gewiß Hunger. Trinken nicht und essen nicht und füttern ihre Larven nicht!"

Darauf der Vorsteher: „Macht, was Ihr wollt! Was gehen mich Eure geflügelten Passagiere an! Ich habe ohnehin genug zu tun! Da soll ich mich womöglich noch um Eure Larven kümmern! Der Blödsinn hat mir gerade noch gefehlt!"

Panfilytsch kehrte zu seinem Güterwagen zurück und nahm die Zeltplane ab. Das Wetter war herrlich. Blauer Himmel. Strahlende Sonne! Ringsum grünende Felder. Blumen. Ein Kastanienwäldchen in Blüte!

Panfilytsch nahm also die Zeltplane vom Wagen. Und sogleich stieg eine ganze Bienenarmee zum Himmel auf. Die Bienen kreisten ein wenig, orientierten sich und flogen davon auf die Felder und Wälder.

Fahrgäste umringten den Güterwagen. Und Panfilytsch hielt ihnen, oben stehend, einen Vortrag über die Nützlichkeit der Bienen.

Aber noch während Panfilytsch seinen belehrenden Vortrag hielt, trat der Stationsvorsteher auf den Bahnsteig und gab dem Lokomotivführer das Zeichen zur Abfahrt.

Panfilytsch stöhnte laut auf, als er das Signal bemerkte. Und ganz aufgeregt bat er den Stationsvorsteher: „Verehrter Genosse, lassen Sie den Zug nicht abfahren! Alle meine Bienen sind draußen!" Meint der Stationsvorsteher: „Pfeift Euren Bienen doch, damit sie ihre Plätze wieder einnehmen. Länger als drei Minuten kann ich den Zug nicht mehr zurückhalten!"

Darauf Panfilytsch: „Ich flehe Sie an, lassen Sie den Zug bis Sonnenuntergang stehen! Bei Sonnenuntergang kehren alle Bienen in ihre Stöcke zurück! Und wenn es gar nicht anders geht – hängen Sie meine Lore ab. Ich kann nicht ohne Bienen heimkommen. Hier sind mir vielleicht 1000 geblieben, auf den Feldern aber tummeln sich an die 15 000! Versetzen Sie sich doch bitte in meine verzweifelte Lage! Lassen Sie sich erweichen!"

Der Stationsvorsteher aber: „Wir sind hier kein Bienenkurort! Sondern die Eisenbahn! Was nicht gar: ‚Die Bienen sind ausgeschwärmt'. – Beim nächsten Zug heißt es womöglich: ‚Die Fliegen sind weggeflogen!' Oder: ‚Die Flöhe sind aus der Polsterklasse enthüpft!' Und deswegen soll ich die Züge zurückhalten! Ich mache mich doch nicht lächerlich!"

Wieder gibt der Stationsführer dem Lokführer das Abfahrtszeichen. Und der Zug setzt sich langsam in Bewegung. Panfilytsch steht weiß wie ein Leinentuch auf seiner Lore. Fuchtelt mit den Armen. Späht nach allen Seiten. Und zittert vor Ärger. Der Zug fährt . . .

Nun, einige Bienen erreichten noch auf der Fahrt die Stöcke. Die meisten aber blieben in Hain und Flur.

Bald war der Zug in der Ferne verschwunden. Der Stationsvorsteher kehrte ins Bahnhofsgebäude zurück und setzte sich an die Arbeit.

Schreibt also irgendeinen Bericht, füllt Tabellen aus und trinkt Tee mit Zitrone. Plötzlich hört er draußen auf dem Bahnsteig Lärm. Er öffnet die Fensterklappe, um nachzusehen, was los sei, und sieht die wartenden Passagiere in hellster Aufregung durcheinanderrennen und schreien.

„Was ist geschehen?"

Man antwortet ihm: „Die Bienen haben drei Fahrgäste gestochen. Und fallen über die anderen her. Es sind so viele, daß der Himmel schwarz ist vor Bienen. Und immer noch kommen neue Schwärme . . ."

Und tatsächlich sieht der Vorsteher eine ganze Bienenwolke über dem Bahnhof schweben. Versteht sich – sie suchen ihren Wagen. Aber der Wagen ist weg. Ist bereits abgedampft. Und nun fallen die Bienen über die Menschen her . . .

Schon wollte der Vorsteher vom Fenster zurücktreten, um auf den Bahnhof hinauszugehen, als ein ganzer Schwarm wütend summender Bienen zum Fenster hereinflog. Der Vorsteher ergriff ein Handtuch und schlug wie wild auf die Bienen ein, um sie aus dem Raum zu jagen. Aber eben das wurde ihm – wie man sehen wird – zum Verhängnis.

Zwei Bienen stachen ihn in den Hals. Eine dritte ins Ohr. Und die vierte mitten auf die Stirn.

Der Vorsteher umhüllte sein mißhandeltes Haupt mit dem Handtuch, legte sich aufs Sofa und gab klägliche Schmerzenslaute von sich.

Darauf kam sein Gehilfe ins Zimmer gelaufen und sagte: „Die Bienen haben außer Ihnen noch den Telegrafisten vom Dienst in die Wange gestochen. Und jetzt weigert er sich weiterzuarbeiten!“

Der Stationsvorsteher, auf dem Sofa liegend: „Oh, oh – was nun?“

Noch ein Bahnbeamter erschien und meldete: „Die Beamtin vom Fahrkartenschalter – das heißt, Ihre Frau, Klawdija Iwanowna – haben die Bienen soeben in die Nase gestochen! Ihr Gesicht ist jetzt vollends verhunzt!“

Der Stationsvorsteher stöhnte noch lauter: „Schnell, schnell, wir müssen sofort den Wagen mit dem verrückten Bienenzüchter zurückholen.“

Er sprang vom Diwan auf und begann zu telefonieren. Von der nächsten Station kam die Antwort: „Jawohl! Ist recht! Den Wagen hängen wir gleich ab! Aber wir haben keine Lokomotive, um ihn euch zurückzuschicken!“

Schreit der Stationsvorsteher: „Die Lok schicken wir. Hängt nur schleunigst den Wagen ab. Die verrückten Bienen haben bereits meine Gemahlin gestochen. Mein Bahnhof Polja ist ganz verödet. Alle Passagiere haben sich im Schuppen verkrochen. Nur Bienen bevölkern den Bahnsteig! Ich tue keinen Schritt hinaus. Von mir aus soll der ganze Fahrplan entgleisen!“

Es dauerte gar nicht lange – da war der Bienenwagen zurück. Alle atmeten erleichtert auf, als die Lore wieder in Sicht kam und mit ihr Panfilytsch, der aufrecht oben stand. Panfilytsch ordnete an, den Wagen an den gleichen Platz zu stellen. Als die Bienen die Lore sahen, flogen alle zugleich auf die Stöcke los. Aber es waren so viele Bienen, daß sie sich gegenseitig den Eingang versperrten. Es hob miteins ein solches Gesumme und Gebrumme an, daß die Hunde vor Schreck aufheulten und die Tauben sich aufgescheucht in die Lüfte erhoben. Panfilytsch, auf dem Wagen stehend, redete den Bienen gut zu: „Man sachte, Kinderchen! Nicht so hastig! Laßt euch nur Zeit! Es kommt jeder dran! Nehmt ordentlich eure Plätze ein . . . Nach den Platzkarten, bitte sehr!“

Nach zehn Minuten wurde es still. Als Panfilytsch sah, daß alles in Ordnung war, stieg er vom Wagen herunter, und die Passagiere, die jetzt wieder auf dem Bahnsteig standen, klatschten begeistert Beifall. Panfilytsch, wie ein Schauspieler, verbeugte sich zum Dank. Und sagte: „Schlagt eure Kragen nur wieder herunter. Macht ruhig eure Gesichter frei! Und bangt nicht länger um euer Schicksal! Die Bienen werden euch nicht mehr stechen!“

Nach diesen Worten lenkte Panfilytsch seine Schritte zum Stationsvorsteher. Dieser, das Haupt mit dem Handtuch umhüllt, lag immer noch auf dem Sofa. Er ächzte und stöhnte. Und sein Stöhnen wurde noch lauter, als Panfilytsch den Raum betrat.

„Es tut mir aufrichtig leid, verehrter Genosse, daß meine Bienen Sie gestochen haben. Aber Sie sind selbst schuld! Man darf auch gegen die kleinsten Nöte und Bedürfnisse nicht so gleichgültig sein! Das nämlich können Bienen gar nicht vertragen. Und die Bienen reden nicht viel – sie stechen!“

Der Vorsteher stöhnte, aber Panfilytsch fuhr unbekümmert fort: „Bienen können Bürokratie auf den Tod nicht leiden! Und wie haben Sie die Bienen behandelt? Nun, wie Sie eben die Menschen behandeln . . . Und das ist jetzt Ihr Lohn!“

Panfilytsch sah zum Fenster hinaus und fügte hinzu: „Die Sonne ist untergegangen. Meine Reisegefährten haben ihre Plätze eingenommen . . . Habe die Ehre! Wir fahren ab!“

Der Stationsvorsteher nickte matt mit dem Kopf, was heißen sollte: Fahrt mit Gott! Aber fahrt nur schleunigst ab! Und er flüsterte dazu ganz leise: „Habt Ihr auch alle Bienen beisammen? Schaut nur zu, daß keine dableibt!“

Tags darauf, gegen Abend, traf der treffliche Panfilytsch mit seiner lebenden Fracht im Heimatdorf ein. Die Kolchosbauern empfingen ihn mit Musik.

Von der Menschenachtung

Hört zu, was sich jüngst in Leningrad ereignet hat! Oder, richtiger gesagt, nicht gerade in Leningrad, sondern etwas außerhalb der Stadt. An der Zwischenstation Luftschiffer-Park.

Nach dem Namen zu urteilen, surren dort die Propeller, fliegen die Flugzeuge und gehen die Flieger auf Parkwegen spazieren. Aber, Wanderer, steigst du dort aus – findest du keinen Weg und keinen Steg. Nur Felder und Sumpf. Im Sommer geht's ja noch, aber ihr könnt euch schon denken, wie's dort im Frühling ausschaut! Weswegen auch die Fahrgäste die leidige Gewohnheit angenommen haben, auf den Schienen zu gehen. Dafür müssen sie natürlich Strafe zahlen. Aber das hilft nicht viel; vom Bahndamm sind sie nicht wegzubringen.

Man hat darum zur Bekämpfung dieses Übelstandes zwei Mann aufgeboten. Einen Wächter und einen Schriftführer. Der Schriftführer sitzt in der Bude und reißt die Quittungen ab. Und der Wächter geht vor der Bude auf und ab und lauert. Das heißt, er packt die Leute, die über die Schienen laufen. Und schleppt sie in die Bude. Dort aber wird das Strafgeld einkassiert. Ein Rubel pro Nase. Darüber wird eine Quittung ausgehändigt. Alles sozusagen hübsch genau nach dem Gesetz – wie's ja auch sein muß! Abgesehen natürlich von solchen Kleinigkeiten wie dem Sumpf dort!

Das Pech ist nur, daß die Quittungen des Schriftführers auf eine höhere Summe lauten, als das Strafgeld tatsächlich ausmacht. Es werden Geldstrafen von einem Rubel auferlegt – die Quittungen aber lauten auf drei. Mach, was du willst damit!

Aber die beiden dort: der Schriftführer und der Wächter wissen sich zu helfen. Sie haben schon einen Ausweg gefunden. Sie sammeln in der Bude nach und nach drei Schienenläufer ein und belegen sie mit einer Gemeinschaftsstrafe. Die Rechnung geht dann glatt auf. Sie nehmen von jedem einen Rubel und geben dafür eine Quittung, auf drei Rubel lautend. Und knüpfen auf diese Weise drei Herzen im gemeinsamen Unglück fest aneinander.

Es geschieht alles wirklich sehr lieb und nett. Zumal es Frühling ist. Die liebe Sonne scheint vielleicht. Die Natur erwacht aus dem Winterschlaf. Der Sumpf beginnt zu grünen. Und die Liebe zu den Menschen erblüht in den Herzen. Und auch die Achtung vor Menschenwert und Menschenwürde!

Die Quittungen aber, da kannst du nichts machen, lauten auf drei Rubel. Wahrscheinlich sind sie von den Trambahnsprüngen übriggeblieben, und man kann sie nicht umkommen lassen!

Natürlich erschweren solche Quittungen zuweilen die Situation. Zum Beispiel: Zwei, die zur Quittung gehören, haben sich schon eingefunden – aber der dritte fehlt. Er kommt natürlich mit dem nächsten Zug. Aber immerhin, man muß warten!

Ja, und was die Hauptsache ist: Die Zahl der erwischten Gesetzesübertreter muß immer das Vielfache von drei sein. Dann ist's nicht schlimm! Und die Rechnung geht glatt auf! Aber wenn das nicht der Fall ist – dann gnade Gott der höheren Mathematik!

Und seht, einmal war die Zahl der Erwischten nicht das Vielfache von drei. Mit einem Wort, sie teilte sich nicht durch drei!

Schon am frühen Morgen klappte in der Bude das Geschäft nicht. Zwei Schienenläufer sitzen da und warten – der dritte fehlt. Endlich kommt der dritte, aber schon zockelt auch der vierte hinterdrein. Der vierte sitzt und wartet. Fehlen wieder zwei. Einer kommt. Dann aber wieder ein Paar. Und so geht es den lieben langen Tag. Sogar die beiden Arbeiter ließen den Kopf hängen und wurden ganz nervös.

Und wieder also steigen zwei aus dem Zug aus. Beides Angestellte der Elektrokraft: der Agronom T. von der Räteland-wirtschaft des Werks und die Beamtin A.

Sie gehen beide den Schienenstrang entlang, ohne etwas von dem drohenden Unheil dieses Tages zu ahnen. Und laufen also dem Wächter direkt in die Arme. Worauf dieser sie in die Bude schleppt.

Dort freut man sich herzlich über ihr Kommen. Es warten nämlich schon zwei. Und diese zwei wählen sich gleich den Agronomen zum Mitinhaber der Quittung. Das begehrte Dreieck ist somit komplett! Und der Schriftführer sagt: „So, jetzt stimmt's, jetzt können Sie gehen!"

Darauf fragt die Beamtin: „Und ich?"

„Sie aber" – sagt der Schriftführer – „müssen hier noch etwas warten. Wenn noch zwei andere kommen – lasse ich Sie gehen! Iwanytsch" – sagt er –, „geh mal schnell hinaus auf den Bahndamm und schau, daß du jemand antriffst! Damit wir das Fräulein hier nicht allzulange aufhalten!"

Aber welche Mühe sich der Wächter auch gab – er erwischte keinen. Dann, nach einer Weile, brachte er doch noch einen Verirrten an. So waren's jetzt zwei. Der dritte aber fehlte wieder.

Und schon kommt die Abenddämmerung.

Den Wächter befiel jetzt so etwas wie die quälende Vorahnung einer unlösbaren Rechenaufgabe. Er lief in der entsetzlichsten Unruhe auf den Bahndamm hinaus, traf aber wieder niemand an. Darauf ging der Schriftführer, der sich über den Wächter ärgerte, selbst in den Wind hinaus, um Ausschau zu halten. Aber an diesem Tag – muß ich wiederholen – war bei ihnen das Geschäft wie eingefroren. Den dritten konnten sie, wie sie sich auch plagten, nicht erwischen. Endlich tat der Schriftführer einen schweren Seufzer und sagte: „Ich werde, es geht leider nicht anders, zwei Protokolle schreiben müssen! Zeigen Sie mir Ihren Ausweis, und dann können Sie jeder einen Rubel zahlen!"

Die beiden mußten die Protokolle unterschreiben. Der Agronom aber, der auf die Kollegin gewartet hatte, sagte: „Schreiben Sie doch unter Ihrem Namen noch eine Beschwerde über die Drei-Rubel-Quittungen hin!" Und die Kollegin tat es auch. Das aber kränkte aus irgendeinem Grunde den Schriftführer. Es traf wohl gerade seine empfindlichste Stelle. Denn er sagte: „Jede überflüssige Propaganda ist bei der Eisenbahn verboten! Und solche Fisematenten lasse ich einfach nicht zu!" Er rief die Miliz an und bat, daß man ihm einen Milizionär herschicken möge. Weil aber jener lange nicht kam, führten der Schriftführer und der Wächter die Leute selbst auf die Station. Dort legten die Schienenläufer energisch Protest ein. Endlich, nach einem zweiten Protokoll, wurden sie entlassen.

Nach einiger Zeit bekommt der Agronom eine Vorladung von der Miliz aus Djetskoje Sselo. Da er aber gerade mit Arbeit überhäuft war, verspätet er sich und trifft den Bezirksinspektor nicht mehr an. Der Inspektor schreibt darauf noch energischer: „Wenn Sie“ – schreibt er – „an dem und dem Datum wieder nicht erscheinen, lasse ich Sie zwangsweise vorführen.“

Der Agronom konnte aber wie zum Trotz wieder nicht erscheinen, er war gerade zur Aussaat nach Gdowskije Slanzy geschickt worden. Und jetzt fürchtet er sich, ins Ungewisse heimzukehren.

Und so geht tatsächlich die Geschichte traurig aus. Vielleicht wäre es doch das einfachste, so schnell wie möglich diese Drei-Rubel-Quittungen abzuschaffen! Sagen wir mal, schon aus Achtung vor der Menschenwürde!

Und was die beiden Arbeiter betrifft, die man zur Bekämpfung der Schienenläuferei eingesetzt hat, so könnten diese statt der komplizierten Schreib- und Rechenarbeit in der Zeit ganz gut einen Weg durch den Sumpf anlegen!

Nachwort

Michail Michailowitsch Sostschenko: geboren am 10. August 1895 als Sohn eines adeligen Kunstmalers und einer Schauspielerin, gestorben am 24. Juli 1958 – das sind schlicht die Daten, sind Anfang und Ende des vermutlich letzten Satirikers der Sowjetunion.

Dazwischen liegt ein bewegtes Leben. Die Jugend spiegelt gleichsam die stürmischen Umbrüche der Zeit. Sostschenko studiert anfangs Jura. 1913 bezieht er die juristische Fakultät an der Universität zu St. Petersburg. Zwei Jahre später wird der junge Student in einem Kurzlehrgang zum Offizier ausgebildet, geht freiwillig an die Front, wird verwundet und gasvergiftet. Im Bürgerkrieg kämpft er zuerst auf der Seite der Weißen, dann auf der Seite der Roten und wird schließlich mit einem Herzfehler ins zivile Leben entlassen. Heimgekehrt, beginnt in den Hunger- und Notjahren die Irrfahrt durch eine Vielzahl sehr verschiedenartiger Berufe, die Sostschenko 1929 selbst sehr witzig beschrieb:

„Berufe hatte ich die Menge. Ich sage das ganz ohne Ironie. Sogar mit einem gewissen Staunen über mich selbst. Die interessantesten davon waren, die zahlreichen militärischen ausgenommen: Postmeister, Milizionär, Kriminalkommissar, Telegrafist, Instrukteur der Kaninchenzucht, Schuster, Rechnungsführer, Kontorist . . . Ich hatte noch andere Berufe . . . Aber wer kann sich schon an alle erinnern . . . Gegenwärtig ist meine Biographie miserabel. Bin Schriftsteller. Es scheint, daß es der allerletzte Beruf in meinem Leben ist. Schade, daß ich darin steckengeblieben bin. Es ist der elendste aller Berufe, hol's der Teufel!"

1921 im Dezember erscheint Sostschenkos erste Erzählung im „Petersburger Almanach". Er ist Mitglied der „Serapionsbrüder" geworden, einer ganz und gar unpolitischen Schriftstellervereinigung, die der künstlerischen Phantasie die gleiche Realität wie dem Leben zuschreibt und in bewußte Opposition zur beginnenden Politisierung aller Kunst tritt. Ein Vorbild der jungen Dichter ist E. T. A. Hoffmann. Sostschenkos erste Erzählungen und Novellen sind ganz im romantisch-ironischen Geist verfaßt und erscheinen als Buch Anfang der zwanziger Jahre ohne Namen des Autors.

Der allerletzte Beruf, über den er sich immer wieder mit Witz und Ironie beklagt, sollte Sostschenko nicht mehr loslassen. Freilich, über den idealistischen Serapionsbruder geht die harte Zeit der geschichtlichen Umbrüche hinweg. Sostschenko wird unter Mitwirkung der neuen Zeit und des neuen Zeitgenossen Feuilletonist – Satiriker.

Mit seiner lausbübisch kichernden Freude an den menschlichen Unzulänglichkeiten aber will Sostschenko seine Leser nicht nur erheitern und belustigen, er will sie erziehen. Der boshafte sowjetische Spaßmacher tritt gegen Herzensroheit und Barbarei – für den Menschen ein, für Menschenwert und Menschenwürde. Mit den ihm eigenen Kunstmitteln: einer witzig saloppen Ausdrucksweise, in der sich Ausdrücke der Gasse mit falsch angewandten Fach- und Fremdwörtern, journalistischer Jargon mit dem reichen Sprichwörterschatz des alten russischen Väterchens zu einem kuriosen Stil vereinen, den aber der neue russische Leser versteht und mit Begeisterung aufnimmt. Sostschenko ist Ende der zwanziger und Anfang der dreißiger Jahre nicht nur in seiner Heimat beliebt und berühmt – so wird ihm 1939 für seine Verdienste auf dem Gebiete der Literatur der Orden des Roten Arbeiterbanners verliehen –, er erreicht als sowjetrussischer Satiriker – und das ist mehr als begreiflich – Weltgeltung.

Rußlandfahrer, die Sostschenko in jenen Jahren begegnet sind, schildern ihn als einen kleinen, schmal gebauten, schwarzhaarigen Mann mit leicht ergrauten Schläfen, mit klugen, dunklen, von langen Wimpern beschatteten Augen, in denen viel Trauer und Melancholie, aber auch ein schelmisch-lächelndes Blinken lag. Er war wie viele Humoristen ein asthenischer Melancholiker, ein zurückhaltend-stiller Beobachter, ein verspielter Junge, ein Skeptiker mit empfindlichem Gemüt.

Für Sostschenko und seine Welt bezeichnend ist auch eine Anekdote, in der neben dem Autor einer seiner ersten deutschen Verleger eine Rolle spielt. Jener war auf einer Intourist-Reise nach Leningrad gekommen und bot Sostschenko für die deutsche Ausgabe ein Honorar an. Eine Geldüberweisung an Sowjetbürger war damals nicht möglich, und Sostschenko meinte leuchtenden Auges, daß ein dunkelblauer, zweireihiger Anzug ihm auch viel lieber wäre – oder vielleicht ein deutsches Markenfahrrad . . .

Nach einer kurzen Pause aber sagte er, er wisse die Ehre zu schätzen und wolle den guten Willen als Lohn nehmen. Für ihn am besten wäre doch – nichts!

In den von ihm herausgegebenen „Leserbriefen" macht sich Sostschenko über seine eigene Beliebtheit und Berühmtheit lustig. Einmal wundert er sich, daß ein junger muskulöser Riese mit rotblondem welligem Haarschopf sich auf einem Wolgadampfer als Michail Sostschenko ausgibt, um den mitreisenden Damen zu imponieren. Ein andermal erwidert er zwei jungen Studentinnen, die ihn um „verbotene süße Früchte" bitten, das heißt unveröffentlichte und von der Zensur verbotene Satiren: solche Satiren habe er nicht, da die Zensur bei ihm alles durchgehen lasse und er im übrigen sich dafür dankbar erweise, recht artig und brav sei und keine Geschichten schreibe, die verboten werden könnten.

Hierin hat sich Sostschenko geirrt. Was die ganze westliche Welt mit Staunen verfolgte, daß ein Sostschenko in Rußland überhaupt möglich war, das hörte nach dem zweiten Weltkrieg auf. Die Sowjets, denen von Mütterchen Rußland anfänglich noch die flagellantische Lust an der Selbstkritik, an der Satire überkommen war und die in der avantgardistischen Epoche des sozialen Realismus diese Selbstkritik sogar auf ihre Fahnen geschrieben hatten, verloren mit der Festigung des bolschewistischen Regimes, im Kampf um immer größere Macht, jeden Humor.

1946 sieht sich Sostschenko plötzlich im Mittelpunkt erregter Diskussionen. Der „Verräter am Volk", der „Verleugner einer glorreichen Gegenwart" wird für seine „zersetzende und defaitistische Lebensauffassung" und sein „das ganze russische Volk schädigendes Verhalten" öffentlich gemaßregelt.

Am Abend seines Lebens muß der russische Spaßmacher seinen Irrtum bekennen. Der Satiriker schweigt. Sostschenko schreibt (nach russischen Zeitungsberichten) ein Drama, er schreibt einen Roman über den heldenmütigen Leningrader Widerstand im Kriege. Es erschienen in Zeitschriften und Zeitungen auch noch Kurzgeschichten, belehrende Feuilletons, Partisanenerlebnisse, Kindergeschichten mit Nutzanwendung und Moral. Der Satiriker ist tot!

1957 wird dem Todkranken verziehen. Anfang 1958 veröffentlicht der Staatsverlag eine Auswahl seiner Werke. Die lustigen, frechsten Satiren fehlen natürlich, und manche alte wohlbekannte Kurzgeschichte findet man abgewandelt, überarbeitet oder durch eine Schlußmoral abgeschwächt wieder.

In weitesten Kreisen in Deutschland bekannt wurde Michail Sostschenko schon 1939 durch meine Sammlung sowjetrussischer Kurzgeschichten, die Sostschenkos witzigen Slogan „Schlaf schneller, Genosse!" als Titel führt.

Grete Willinsky